MUSEUM DER MALEREI

MUSEUM DER MALEREI

Eva-Gesine Baur

Rokoko
und Klassizismus

von Watteau bis Goya

EDITION ATLANTIS

MUSEUM DER MALEREI

herausgegeben
von Ingo F. Walther

Edition Atlantis
© Schuler Verlag, Herrsching
Sonderausgabe für Atlantis Verlag, Zürich
Produktion und Redaktion: Ingo F. Walther, München
Typografische Konzeption: Lothar Retzlaff, Schwäbisch Gmünd
Umschlaggestaltung: Bine Cordes, Weyarn
ISBN: 3-7611-0704-8

EINFÜHRUNG

Rokoko und Klassizismus: Europäische Malerei im 18. Jahrhundert

1874 publizieren die Brüder Edmonde und Jules de Goncourt den letzten Band ihres gemeinsamen Werkes »L'art du XVIIIᵉ siècle« (Die Kunst des 18. Jahrhunderts). Damit ist der erste Schritt getan zur Rehabilitierung einer Epoche, die unter der Bezeichnung »Rokoko« eine – bis heute – wechselvolle Rezeptionsgeschichte durchlebte und durchlebt, in der die meisten Annäherungsversuche und Wiederbelebungsbemühungen kläglich endeten.

Das Mißverständnis begann bereits zu Lebzeiten: Man sagte eine Epoche tot, die nicht tot war. Man grenzte sich mit Entschiedenheit gegen etwas ab, in das man selbst verwickelt war, verwahrte sich gegen einen Zeitgeist, dem man noch angehörte. Er wurde eigentlich zu Grabe getragen in den Tumulten der Französischen Revolution. Daß das Datum 1789 bereits deren Ende bedeutete, daß der Zeitpunkt, zu dem sie »ausbrach«, die notwendige Folge eines Gärungsvorganges war, der längst begonnen hatte, wird von seiten der Historiker immer wieder hervorgehoben. Der eigentliche Anfang dieses Prozesses ist nicht festzustellen, sondern nur als graduelle Veränderung im Bewußtseinswandel zu beobachten.

Die kategorische Grenzziehung zwischen Rokoko und Klassizismus war und ist eines der größten Hindernisse im Verständnis des gesamten 18. Jahrhunderts. Als in den neunziger Jahren dieses Jahrhunderts in Pariser Künstlerkreisen aus einer Stilisierung des Wortes »rocaille« die Vokabel »rococo« hervorging, war sie bereits negativ belastet. Die Schlagworte des Verspielten, Oberflächlichen, Lächelnd-Heiteren, die noch heute den Blick auf das Rokoko versperren, konstituierten sich bereits damals. In Deutschland vor allem trug die Entfaltung einer breiten Hervorbringung von Idyllendichtung, Schäferspielen und anakreontischer Lyrik – meist mittelmäßigen Niveaus – dazu bei, diese Sehweise zu verstärken. Die Rosenbänder, Liebeshaine, Nachtigallen, die flüsternden Zephyre und errötenden Chloen repräsentierten nur einen schmalen Ausschnitt, der für das Ganze genommen wurde.

Kein Wunder also, daß die Jungdeutschen in den dreißiger Jahren des 19. Jahrhunderts »Rococo« zum Schimpfwort erstarrter Galanterie, unbeweglicher Konvention und eines überjährten Ancien Régime machten. Noch 1859, als Wolfgang Menzel diesen Begriff in die Literaturgeschichte einführte, war er Synonym gezierter Sinnentleertheit. Der Ästhetiker Friedrich Theodor Vischer war wohl der erste, der die kritische Übernahme dieses Terminus in die Kunstgeschichte vorschlug, in die er in den sechziger Jahren einging, um allmählich zu einem wertneutralen historischen Epochenbegriff zu werden.

Daß – nach den Klassizismen des vergangenen Jahrhunderts – gerade der Jugendstil, das Fin de siècle, wieder Zugang zu der Kultur des Rokoko fand, sie in Dichtungen Hofmannsthals, Dehmels oder Bierbaums reflektiert, ist kein Zufall; man fand dort eine Identifikationsmöglichkeit, fand Wesensverwandtes. Auch wenn diese Interpretation des Rokoko subjektiv war, leistete sie immerhin eines – die Befreiung dieser Epoche vom Vorwurf mangelnden Tiefgangs.

DIE VERDRÄNGUNG DER ANGST

Die Endzeitängste und Identitätskrisen, die Todesvisionen und Wirklichkeitszweifel verbanden in den Augen dieser Generation die eigene Zeit mit der »Barock-Endzeit«. Und die Spielarten der Verdrängung – nicht Bewältigung – sind in gewisser Hinsicht tatsächlich verwandt. Mythen und Märchen, Feste und Phantasien, Theater und Musik werden herangezogen, um Traumwelten und Zwischenreiche zu erschaffen, die all das vergessen machen, ohne jedoch dabei die Erkenntnis dieser Mechanismen zu verlieren, ohne die Reflexion über den Schein aufzugeben.

Wenn wir die venezianischen Feste und Maskentreiben bei Guardi, die Konzerte Lancrets, die Liebesfeiern Watteaus, die einfachen Vergnügungen des Volks in Zirkus und Gasse bei Longhi unter diesem Aspekt betrachten, erfassen wir sie nicht vollständig, aber in einem wesentlichen Charakterzug. Und das Vermeiden der Schatten ist auch eines der Kennzeichen neuer Techniken. Die Weißgrundigkeit des Kolorits in den Gemälden Fragonards, die Helligkeit des Pastells bei Rosalba Carriera, La Tour und Liotard, der tiefenlose Glanz der Porzellanfiguren eines Bustelli sind ebenso symptomatisch für diese Epoche wie die alterslose Mode gepuderter Perücken. Die »Ile enchantée«, die verzauberte Insel, wird als Projektionsmöglichkeit eines Traumes von Zeitenthobenheit und Sorglosigkeit entdeckt, sie erscheint als »Kythera« bei Watteau oder namenlos bei Guardi, der einen Zyklus von 21 Inseln malt. Venedig wird zum Ziel der Künstler und Reisenden. Das Fremdländische, Exotische wird zum Fluchtpunkt neuer Daseinsperspektiven, »Russeries«, »Chinoiseries«, »Japanoiseries« werden zu einem Fundus verschiedenster Kostümierungen.

DIE DISTANZ ALS BESTANDTEIL DER BILDFUNKTION

Zugleich werden gerade hier die ironische Distanz und Selbsterkenntnis des Rokoko deutlich: Das Fremde wird bewußt als Unverstandenes und Unver-

ständliches benutzt, verwendet, ausgebeutet. Diese Distanziertheit des aufgeklärten Geistes ist tragendes Element unterschiedlichster Äußerungen. Er manifestiert sich in der Synopse der »veduta ideata«, den Panoramen eines Canaletto und Bellotto, er ist Grundlage der Kunstkritik eines Diderot, ist Nahrung und Basis der Karikatur, die, in England vor allem, zu ungeahnter Blüte gelangt.

Distanziertheit prägt auch den Bereich, dem primär der Vorwurf oberflächlicher Frivolität galt und gilt: das Erotische. Casanova, vielleicht die kennzeichnendste Gestalt seiner Epoche, berichtet in seinen Memoiren von einem Erlebnis, das ihm die eigene Eitelkeit vor Augen führt. Ein Mädchen, das all seinen Verführungskünsten nicht erlag und das er deswegen als prüde »ad acta« legte, beobachtet er des Nachts dabei, wie es mit einem anderen das erprobt, was er ihr vergeblich in den Stichen Giulio Romanos schmackhaft zu machen versucht hatte.

Das Indirekte, die ironische Brechung, ist auch bestimmend für die größte Leistung des 18. Jahrhun-

François Boucher: Satyr-Familie
Kreide, 25 x 41 cm
Wien, Graphische Sammlung Albertina

derts, das Porträt. Im Selbstbildnis von Hogarth ist es der gnadenlose Vergleich mit dem physiognomisch so ähnlichen Mops, in den Selbstporträts La Tours das süffisante schmallippige Lächeln als Verweigerung schöner Pose. Houdons Skulptur von Voltaire zeigt diesen welk und zynisch, haarlos, ohne Perücke. Man läßt sich im Morgenrock oder Negligé malen, man stellt sich ungeschminkt. Die Koketterie des Entblößens ist geistreich-kritisches Jonglieren mit Wahrheit und Lüge, mit Schein und Sein.

Indirekt ist ebenso das Verhältnis zur Natur. Der »Englische Garten« eines Capability Brown, naturbelassen geplant, genau kalkuliert in seinen »zufälligen«

Effekten, führt den Spaziergänger auf einem »belt walk« um den Garten herum, der ihm die vorherberechneten Überraschungen als Bilder darbietet. Gainsboroughs Landadlige sind ebensowenig Teil der Natur, wie die Königin Marie Antoinette in ihrem künstlichen Dorf in Trianon Milchmagd wird. Das Rollenporträt, das »Portrait historié«, eines Reynolds betont die Grenze zwischen Spiel und Identität nicht laut, sondern im verhaltenen Ton eines Geheimnisses, eines Versehens, eines unabsichtlichen Sichverratens. Die Kultivierung und Thematisierung von Oberfläche findet im Bereich des Ornaments zu ihrer dichtesten und kompliziertesten Form. Die Rocaille, der der

Jean-Antoine Watteau: Rückenakt
Rötelzeichnung, 43,5 x 20,5 cm
Ehemals Sammlung Böhler, Starnberg

»style rocaille« und letztlich die Epoche ihren Namen verdanken, ist gegenstandslos und doch gegenstandshaltig, hat Korallen-, Muschel-, Rankenhaftes in sich. Sie verzichtet auf Symmetrie, auf Achsen und Hierarchie und unterwirft sich doch Fläche und Raum. Sie ist kunstvolle Gestalt und zugleich amorph.

DIE AUFLÖSUNG DER KONTUR

Gerade der Aspekt des Auflösens von Kontur ist zentraler Gedanke für die Formgesetze und Inhalte der Malerei. Wieland äußerte sich zu seinem Epenfragment »Idris und Zenide« in einem Brief einmal folgendermaßen: »Stellen Sie sich eine Fabel im Geschmacke der ‚Quatre Facardins‘ oder des ‚Bêlier‘ von Hamilton vor – aber eine Fabel, die keiner anderen gleichsieht, die noch aus einem gesunden Kopfe gekommen ist – die Quintessenz aller Abentheuer der Amadise und Feenmährchen. – Und in diesem Plane, unter dieser frivolen Außenseite Metaphysik, Moral, Entwicklung der geheimsten Federn des menschlichen Herzens, Kritik, Satyre, Charaktere, Gemählde, Leidenschaften, Reflexionen, Sentiments – kurz alles, was Sie wollen, mit Zaubereyen, Geisterhistorien, Zweykämpfen, Centauren, Gorgonen... so schön abgesetzt und durcheinandergeworfen, und alles in einem so mannigfaltigen Styl, so leicht gemahlt, so leicht versifiziert, so tändelhaft gereimt, und das in ottava rime.« Für die Literaturwissenschaft hat Alfred Anger eine Feststellung gemacht, die für die Kunstgeschichte fruchtbar werden sollte, wenn er von der »Auflösung der Gattungsgrenzen« spricht: die Mischung und Verschmelzung von Formen, Stoffen, Realitätsebenen, Zitaten und Kostümen (als solches ist die klassische italienische Gedichtform der »ottava rime« zu verstehen). Das Unhierarchische des Rokoko vereint die Gestalt einer Mätresse mit der der Venus, es vermischt die Gestalten der heidnischen Mythologie ohne Rücksicht auf ihren Rang. Es bringt Tragisches und Satirisches in »Marriage à la mode« oder »Harlot's Progress« eines Hogarth zusammen, es schafft in Reynolds' Bildnis »Samuel als Kind« ein Wesen voll einfältigem Ernst, es verschmilzt in den Harlekins, Gilles und Pulcinellen bei Watteau Komisches und Trauriges. Spiel und Wirklichkeit sind in Fragonards »Blindekuh-Spiel« ebensowenig voneinander zu scheiden wie Theater und Leben, Mythologie und erotisches Genre, Traumvision und

Jean-Antoine Watteau: Studienblatt mit acht
Frauenköpfen und einem Männerkopf. Kreide und Rötel,
25,1 x 38,4 cm. Paris, Louvre, Cabinet des Dessins

Episode bei Watteau, Boucher oder Magnasco. In
Roberts Bildern werden Ruinenarchitektur, Straßenszene, Staffage und Beobachtetes zu einer vitalen
Bühnenwirklichkeit. Auch im Bereich des Gesell-
schaftlichen werden die kategorialen Abgrenzungen
aufgelöst, wird längst vor der Französischen Revolu-
tion das Bürgerliche als eine neue, selbstbewußte
Möglichkeit entdeckt, wie es uns zum Beispiel in den
»Kindern der Familie Graham« von Hogarth entge-
gentritt. Zudem erfahren – gerade in England – das
Ländliche, das Einfache eine Aufwertung gegenüber
dem Sentimentalen. In Lawrence Sternes berühmtem
Roman »A Sentimental Journey« wird Mitleid mit
Armut geistiger wie leiblicher Art nicht nur zum
Mittel, die eigene Empfindsamkeit zu erfahren,
sondern wird durchdrungen von einer sehnsüchtigen
Utopie, in der Begrenztheit des Intellekts oder des
Komforts wahre Ruhe zu finden. Wenn bei
Richardson und seinen unzähligen Nachahmern

Dienstmädchen zu den zentralen Romanheldinnen
werden, bedeutet dies ebenso die Projektion einer
Glücksvorstellung in den Bereich des vermeintlich
»Natürlichen« und Unverstellten wie die »Fancy
Pictures« eines Gainsborough. Die soziale Hierarchie
wird aufgelöst, um Zugang zu bisher verstellten,
unzugänglichen Lebensmöglichkeiten zu gewinnen,
in denen man ein Arkadien vermutet. Diese Auflösung läßt außerdem zu, in einer komplizierten
Brechung die barocken Ordnungssysteme zu raffinierten Steigerungsmöglichkeiten völlig konträrer
Interessen zu benutzen. Die Regelhaftigkeit des Zere-
moniells erst macht die satirische Schärfe aus in
Hogarths »Marriage à la mode«, ihr Vorhandensein,
ihre Kenntnis ist Basis des Dekuvrierens. Die
Kontrolle erhöht den Reiz des Heimlichen: In Fragonards »Schaukel« ist die Anwesenheit des töricht-
unschuldigen Geistlichen Stimulans des erotischen
Kitzels für das Pärchen. Die moralische Zensur in

Form überlastig-phathetischer Gefühle ist in den Bildern eines Greuze als Zensur erkenntlich und steigert so den Reiz der verlockenden Dekolletés. Die gesellschaftliche Konvention des Porträtstehens bringt in den Kinderbildern eines Reynolds oder Hogarth das Kindliche um so vitaler zum Ausdruck. Und die Auflösung starrer Systeme bedeutet auch die Auflösung barocker Typologie und gibt so den Weg frei für eine der größten Leistungen in der Malerei des 18. Jahrhunderts, das Porträt.

DAS LEBENDIGE BEOBACHTEN ALS BASIS DES ABBILDENS

Die Wirkungen aufklärerischer Bewußtseinsveränderungen werden in der Unvoreingenommenheit des Beobachtens spürbar, mit der das unwiederholbare Individuum gesehen und wiedergegeben wird. Ein Phänomen wie das – uns heute leicht befremdende – – englische Tierporträt muß in eben diesem Zusammenhang gesehen werden. Der Pudel bei Stubbs ist nicht irgendein Pudel, sondern ein individuelles Lebewesen, das mit bestimmten persönlichen, einmaligen Empfindungen verbunden ist. Die Kultivierung der Individualität ist also gleichzeitig Kultivierung dessen, was Jane Austen zum Titel einer ihrer Romane macht: »Sense and Sensibility«.

Zu ganz anders gearteten Ausdrucksformen führt das genaue, wertfreie Beobachten bei Hogarth und vor allem bei Goya. Sein schonungsloses Bildnis der »Familie Karls IV.« oder die Porträts einzelner Mitglieder des spanischen Königshauses sind Beispiele dafür, aber auch für die Erkenntnis entleerter Würdeformen und -formeln. Im rigorosen Verzicht auf unglaubwürdig gewordene Floskeln werden Pathos und Monumentalität der Wahrheit freigesetzt. Hierin gerade liegen Goyas wegweisende Leistung und Funktion für die Kunst des 19. und sogar des 20. Jahrhunderts. Im privaten Bereich seines abgelegenen, schmucklosen Hauses wagt er die extremen Folgerungen seiner Klarsicht zu Bildern zu machen; in der Quinta del Sordo werden die Visionen eines Unter-

Hubert Robert: Reisende in einem Wirtshaus am Kamin
Feder und Tusche, laviert, 13,8 x 26,7 cm
Berlin (West), Kupferstichkabinett SMPK, KdZ 1837

Jean-Honoré Fragonard: Löwe
Tusche, 33,3 x 34,7 cm
Wien, Graphische Sammlung Albertina

ganges Wirklichkeit, verschlingt Saturn bestialisch seine Kinder, ertrinkt ein verlassener Hund in der Sanddüne. Füsslis Darstellung des »Alptraums« ist damit durchaus verwandt; auch hier findet die Manifestation eines neuen Wirklichkeitsbegriffes statt, für den Traum, Phantasmagorie, Ahnung und psychische Vorgänge real sind.

DIE WIEDERKEHR DER BILDMORAL IM KLASSIZISMUS

Im Gegensatz zu solchen Bildern, die uns heute noch unvermittelt treffen und berühren, ist der Zugang zu zeitgleichen Erscheinungen wie Davids »Schwur der Horatier« nur schwer zu finden. Hier etablieren sich erneut Ordnungssysteme moralischer, historischer,

sozialer und künstlerischer Art, die kompromißlos und damit in hohem Maße zeitgebunden sind. Wiederum ist es eine Frage veränderten Bewußtseins, die vor diesen Bildern gestellt werden muß. Die Verantwortlichkeit gegenüber der Bildaussage, das Kalkül ihrer Formulierung, die Systematik des Aufbaus, die beabsichtigte Herstellung von Stimmung oder Stilcharakter gehören zu den Wesenszügen des Klassizismus.

Das zeigt sich in Frankreich bei David, der der Bildkomposition eine neue, didaktische Funktion überträgt. In ihr und durch sie werden ganz gezielt bestimmte moralische Wertbegriffe als Ideale formuliert und suggeriert. Das Didaktische – ein Kennzeichen klassizistischer Kunsthaltung bis hin zu Goethes Propyläen-Wettbewerben im 19. Jahrhundert

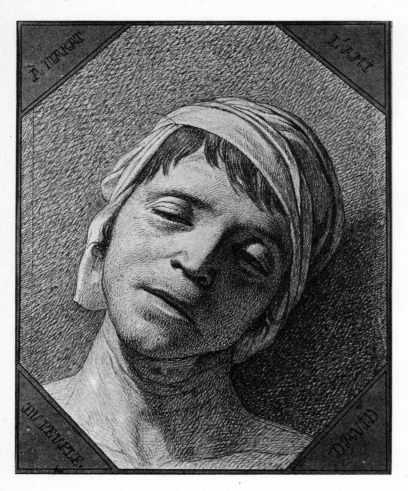

Reduktion sinnlicher Reize zugunsten kühler Eleganz, in der Stabilisierung und Tektonisierung der Komposition mit Mitteln der Farbe durchaus als Klassizist eingeordnet werden darf. Wilsons Landschaften oder auch die Hackerts in Deutschland, Vernets in Frankreich belegen die Inversion der Verfahrensweise im Bildaufbau: Auch hier wird Stimmung durch musivisch eingebrachte Versatzstücke hergestellt, das heißt die Rezeption des Bildes wird konstruiert. Und gerade im Bereich der Rezeption lassen sich, zumindest für die französische Kunst, Motive und Impulse eines Stilwandels aufzeigen, die die Kunstkritik formuliert.

DIE KUNSTKRITIK ALS SYMPTOM EINES NEUEN PUBLIKUMSBEGRIFFS

Das 18. Jahrhundert ist das Jahrhundert, in dem Kunstkritik im modernen Sinn überhaupt erst entsteht. Ihre Genese ist nicht zu trennen von der des Ausstellungswesens, von einem neuen Öffentlichkeitsbedürfnis und -verständnis. Zwar hatte es schon 1667 einen »Salon« – eine vom König inszenierte Jahresausstellung – gegeben, der aber im Freien, im Hof des Palais Royal, stattfand. 1699 wurde er dann in der Grande Galerie des Louvre abgehalten, jedoch nur in unregelmäßigen Abständen, insgesamt lediglich zehnmal unter der Regierung Ludwigs XIV. 1737 schließlich wurde der Salon zur festen Einrichtung des französischen Kunstlebens, wurde Zentrum der Begegnung von Künstlerschaft und Publikum. Die Einbeziehung der breiten Öffentlichkeit zeitigte rasch ihre Konsequenzen. Das Pariser Publikum nahm mit Vehemenz und Entschiedenheit die Möglichkeit wahr, sein Urteil über die Exponate zu fällen und zu verlautbaren und somit die Auswahl der ausgestellten Kunstwerke zu beeinflussen. Die gleiche Richterrolle übernahmen aber bald einzelne Schriftsteller, Journalisten, Philosophen und Laien, die in unterschiedlichsten Presseorganen unterschiedlichsten Niveaus ihre Meinung kundtaten: die Kunstkritiker.

Begonnen hatte das Kritikerwesen mit Unkritischem. Seit den zwanziger Jahren des 17. Jahrhunderts brachte der »Mercure de France« gelegentliche Berichte über Ausstellungen, die in emphatischen und nichtssagenden Lobhudeleien auf die Künstler und ihre Werke bestanden. Der allgemeine Wunsch nach echter Kritik manifestiert sich in einer 1747

– zeigt sich, gerade bei David, darin, daß die ikonologische Vieldeutigkeit, Beweglichkeit oder Belanglosigkeit des Rokokobildes zugunsten einer eindeutigen und unmißverständlichen, ja unausweichlichen Bildaussage aufgegeben wird. Die Komposition wird so zu einer Instanz, welche die Bildgegenstände gewissermaßen vorzensiert – ein Phänomen, das bei Greuze schon zu beobachten ist, wenn er die bewußt evozierte erotische Ausstrahlung mit moralisch-pathetischen Inhalten befrachtet (allerdings ohne sie dadurch zu mindern). Daß jede Art sinnlicher Erotik im Klassizismus vermieden wird – es sei denn, sie wird exakt berechnet eingesetzt, um primäre Bildaussagen zu verstärken –, ist konsequente Folgerung aus eben jenem erzieherischen Anspruch. Das Vagante, das Nichtgreifbare des Eros steht im Widerspruch zu jeder Art zielorientierten Appells.

In England ist der Übergang zum Klassizismus weniger deutlich abzugrenzen. Lawrence ist durchaus noch der Bildnistradition Reynolds' verpflichtet, obgleich er in der Kalkulierung seiner Effekte, in der

erschienenen Arbeit La Fonts, worin er das Recht auf Kritik wie folgt formuliert: »Ein ausgestelltes Bild ist ein zum Lichte des Druckes gegebenes Buch, ein auf der Bühne dargestelltes Stück – jedermann hat das Recht, darüber zu urteilen.« La Font gibt zwar vor, in dem »natürlichen Gefühl« das wesentlichste Urteilskriterium zu sehen, redet aber eigentlich der Dogmatik des Akademismus das Wort – worin ihm alle anderen Kunstpublizisten der Epoche nachfolgten. La Font formuliert eine rigide Kritik an der Malerei des Rokoko, deren Kernworte bezeichnend sind für einen tiefgreifenden Gesinnungswandel: Er verurteilt die Kraftlosigkeit, die Unwahrhaftigkeit und modische Trivialität, die er in ihr zu sehen glaubt. Wenngleich sich die Künstler, allen voran Coypel, energisch gegen diese Art der Meinungsbildung und -mache zur Wehr setzten, war der Kunstkritik ihr Schiedsrichterstuhl nicht mehr zu entreißen. Montesquieu, d'Alembert, Voltaire, Marmontel und d'Argens – fast alle großen Literaten und Philosophen betätigten sich als Kunstschriftsteller und verhalfen diesem Metier zu Anerkennung und Eigenwertigkeit. Dem gegenüber stand eine nicht minder breite Flut populärer satirisch-feuilletonistischer Broschürenkritik meist trivialen Niveaus.

Die Kunstkritik war es auch, die Kategorien erstellte und bewertete; Grimm, der ab 1751 mit seinen »Correspondences litteraires« hervortrat, unterschied das »Poetische« und das »Malerische«, wobei er ersteres ablehnte als eine Kunst ungezügelter Einbildungskraft, letzteres empfahl als die Kunst großer Seelenbewegungen und Leidenschaften. Anstatt des »glücklichen Augenblicks« – wie ihn Fragonard, Boucher und Lancret festzuhalten suchten – forderte man nun, den großen, den bedeutenden Augenblick darzustellen. »Natur« und »Wahrheit« werden zu den zentralen Begriffen dieses neuen Stilwollens, der Sinngehalt beider Termini erhellt dessen geistigen Hintergrund.

WAS IST »NATUR«?

Grimm versteht unter Natur »Expression« – den Ausdruck des gesteigerten menschlichen Daseins – und erhabenen Charakter. Die ungemein positive Beurteilung der Skulptur, die sich dann vor allem bei Diderot und Voltaire findet, beruht auf diesem Naturbegriff; man sah in ihr eine Kunst, die zu der Antike in einem »natürlichen« Verhältnis stehe. Dieser Antikenbegriff seinerseits zeigt seine klassizistische Prägung dort, wo die Kritik in den Werken Pigalles, Girardons, Falconets oder Mignots antiken Geist repräsentiert sieht. Die Statuarik Davidscher Figuren entsprach eben dieser Begeisterung für skulpturale Qualitäten. Wenngleich Diderot, der wohl bedeutendste Kunstkritiker des 18. Jahrhunderts, zeitlebens an einem Nachahmungsbegriff festhielt, der in dem Studium antiker Bildwerke die Erziehung zum Sehen der Natur gewährleistet sah, hatte das mit der Nachahmungstheorie Winckelmanns nur wenig zu tun. 1755 hatte Winckelmann seine »Gedanken von der Nachahmung der Griechischen Wercke in der Malerei und Bildhauerkunst« veröffentlicht, die in ganz Europa Aufsehen erregten. Die Erfassung der Wahrheit und Natur der Dinge wird dort bereits als Basis künstlerischer Tätigkeit gesehen, ist jedoch anders interpretiert. Den Ausdruck – vor allem das »Heftige«, das Erregte – sieht er als Hindernis. »Kenntlicher und bezeichnender wird die Seele in heftigen Leidenschaften, groß aber und edel ist sie in dem Stande der Einheit, in dem Stande der Ruhe.«

In direktem Zusammenhang – auch persönlichem, engem Kontakt – zu Winckelmann steht Mengs. Sachse wie dieser, lernt er ihn in Rom kennen und macht, späterer Zerwürfnisse ungeachtet, Winckelmanns Theorie zu Ziel und Inhalt seiner Kunst. Die extremen Folgeerscheinungen dieser programmatischen Thesen treten zum Beispiel in England auf. Wenngleich der Autor selbst schon vor unreflektiertem Kopieren warnte und das »idealisch Schöne« nur in der »Überwindung des Naturalismus« erreichbar sah, wurde er oft in dieser Richtung mißverstanden. Das Primat der Zeichnung und die Wichtigkeit der Kontur, die er hervorhob, versah er zugleich mit der Warnung: »Derjenige, welcher einen ausgehungerten Kontur hat vermeiden wollen, ist in die Schwulst verfallen; der diese hat vermeiden wollen, in das Magere.« Flaxmans Umrißzeichnungen mythologischer Szenen sind ein augenfälliges Beispiel für eben dieses »Magere«.

Gerade die Aufwertung des Randbereichs, der Randzone, ist jedoch eine kritische Form des Stilwandels. Das zeigt sich nicht nur darin, daß David, aber auch Bayeu und in einer bestimmten Phase Goya die Figuren hart und klar konturiert vor einen homogenen monochromen Grund setzen. Es zeigt sich

ebenso in der Deckenmalerei Süddeutschlands, wo die barocke zentrierte Komposition bereichert, manchmal verdrängt wird von einer umlaufenden Zone parallel zu den Bildrändern. Daß diese Zone Landschaft darstellt, ist ebenfalls Indiz für eine entscheidende Änderung. Die Illusion der Raumerweiterung, die im Barock mit Mitteln der Scheinarchitektur erweckt worden war, ist damit zunichte. Das Bild gibt sich wieder als Bild zu erkennen. Der Raum schließt sich. Das Transzendente, das Grenzverwischen und Grenzüberschreiten, wird so gesehen bereits im Rokoko beendet, obwohl es in anderen Bereichen stilprägend ist für die Epoche.

WAS IST »WAHRHEIT«?

Der zweite zentrale Begriff der französischen Kunstkritik ist die Wahrheit. Die Kritik pries die Wahrheit

Greuzes, womit die Intensität der evozierten Gefühle gemeint war. Rührung als Erfahrung der eigenen Mitleidensfähigkeit war der neue Seinsbeweis und darum »wahr« – ein Phänomen, das auch in England zu beobachten ist. Dort entwickelt sich rasch nicht nur sentimentale Dichtung – so Sternes »A Sentimental Journey« oder Richardsons Dienstmädchenromane –, sondern auch ein sentimentaler Porträttyp bei Romney, Opie und Raeburn, der gleichzeitig klassizistisch erstarren kann. Die Wahrheit wird aber ebenso gepriesen bei Vernet, Oudry und Chardin. Dort ist damit Klarheit und Einfachheit gemeint. Bei Vernet will Diderot die Wesensverwandtschaft mit dem bewunderten Claude Lorrain in der Gemeinsamkeit einheitlicher Bildkonzeption erkennen – ein Mißverständnis, das die kompilatorische Technik Vernets, das Zusammengesetzte seiner Landschaften aus zitierten Einzelmotiven, völlig übersieht. Vor den Stilleben

Oudrys und Chardins fällt es leichter, nachzuvollziehen, was die Kritik sie als »wahr« bezeichnen ließ. Es ist primär bereits die Beschränkung auf wenige, meist einfache Bildgegenstände, es sind aber auch die Klarheit der Komposition und die Verhaltenheit bildnerischer Mittel.

Chardins Erdbeerstilleben (Paris, Privatbesitz) ist die geniale Verdichtung dieser Eigenschaften. Die Pyramide gleicher Beeren in einem Korb – ohne Zierat und Dekoration vor den Betrachter gestellt – ist von einer monumentalen Einfachheit. Die Stille des Bildes basiert auf der Immanenz seiner Bedeutungen; auf allegorische Verweise über das Gezeigte, über das Bild hinaus, wird verzichtet. Kein erregendes Licht läßt nach dessen Quelle suchen. Kein Rätsel über den Bildsinn stellt sich dem Betrachter. Es ist nicht allein die Identität der Dinge mit sich selbst, sondern darüber hinaus die Identität des Bildes mit sich selbst, die den Begriff der Wahrheit davor gerechtfertigt erscheinen lassen.

DAS ENGLISCHE VERHÄLTNIS ZUR WIRKLICHKEIT

Daß im England des 18. Jahrhunderts die Kunstkritik keine auch nur annähernd vergleichbare Rolle spielte, liegt mit darin begründet, daß sich dort die Polarität des Akademismus und des Nichtakademischen nie in dem Maße verschärfte wie in Frankreich. Ein Stilwechsel, wie ihn Publikum und Kritik dort forderten, fand in der englischen Kunst nicht abrupt statt, sondern vollzog sich als ein von individuellen Künstlerpersönlichkeiten getragener allmählicher Wandel. Dennoch findet die Diskussion des Wahrheitsproblems auch hier statt – nicht im Theoretischen, nicht in der Rezeptionsästhetik, sondern im Schaffen zahlreicher Künstler. Sie ist hier nicht kritische Form eines Epochenwechsels, sondern vielmehr logische Konsequenz aus der Beobachtung sozialer wie geistiger oder seelischer Vorgänge.

Gleich am Anfang des goldenen Jahrhunderts in der englischen Maltradition steht mit Hogarth eine Künstlergestalt, die keinerlei akademischen Zwang kennt, keinerlei Bindungen an bestimmte Schulen, sondern gerade in der Dominanz eigener Individualität die Freiheit zur unvoreingenommenen Beobachtung findet. Das Wahre an Hogarth erweist sich primär bereits in der Unangepaßtheit seines Stils, in

der unprätentiösen Haltung, die jegliches Repräsentationsbedürfnis hinter die unbestechliche Wiedergabe des Gesehenen zurückstellt. In seinen graphischen Serien »A Rake's Progress«, »A Harlot's Progress« und »Marriage à la mode« entlarvt er die Scheinheiligkeit und Verlogenheit gesellschaftlicher Verabredungsformeln, die Grausamkeit sozialer Zwangsläufigkeiten. Wenn er in vielen seiner Bilder immer wieder die Funktion der Perücke hervorhebt, sie ironisch übertreibt als lächerliche Machtsymbole alternder, desinteressierter Richter, aufgeputzter Gecken, eingebildeten Adels, oder gar zeigt, wie sie einem angetrunkenen Galan vom kümmerlichen Haupthaar rutscht, müde zur Seite gelegt, bewußt abgenommen wird, wenn er an die Perücke gerade dadurch erinnert, daß der Wüstling in »A Rake's Progress« am Ende als Irrer mit abstoßend nacktem Schädel erscheint, dann ist das eine kritische Form. Das hat nichts gemein mit der aufklärerischen Koketterie des »Deshabillé«, in dem sich die Damen und Herren der französischen Gesellschaft in den Pastellen La Tours, den Bildern Bouchers oder Nattiers zeigen. Es ist erbarmungsloses Entblößen, einzig gemildert durch die englische Fähigkeit, dabei Komisches spürbar zu machen. Die oft derben, manchmal grobschlächtigen Sittenkarikaturen Rowlandsons, Cruikshanks oder Gillrays gehören diesem Sinnzusammenhang an, sind Formulierungen einer Wahrheitssuche, die nicht moralisch-theoretisch, sondern im Beobachten des Lebens stattfindet. Wenn Füssli in seinen Traumbildern wie zum Beispiel dem »Nachtmahr« (Frankfurt am Main, Goethe-Museum) unbewußtes seelisches Geschehen wiedergibt, steht er – so irritierend es klingt – in eben dieser Tradition, die sich von den Kategorien ästhetischer Bildzwänge und Wirklichkeitsnachahmung befreit und dadurch Wahres darstellen kann.

Die großartigsten und erschreckendsten Beispiele einer nahezu besessenen Wahrheitssuche finden sich im Werk Goyas. Nicht nur in Porträts – wie denen der spanischen Königsfamilie –, sondern auch und vor allem in seinen druckgraphischen Serien »Caprichos« (Einfälle), »Disparates« (Torheiten), den Stierkampfszenen der »Tauromachia«, den »Proverbios« (Sprichwörter) und den »Desastres de la guerra« (Schrecken des Krieges). Die Brutalität der Inquisition, die Schrecken der napoleonischen Kriege, die Grausamkeit alter Riten sind nicht sachliche Reporte gese-

Thomas Gainsborough: Bildnis der Herzogin Giorgiana von Devonshire ▷
Schwarze und farbige Kreide, 48,8 × 30,6 cm
New York, Piermont Morgan Library

Malen in Camaieu bzw. Grisaille, längst entwickelten und geläufigen koloristischen Möglichkeiten, neu als eine ihren Ausdrucksgehalten analoge Form. Indem das Bild nur aus einer Farbe – meist einer unbunten wie Grau oder Braun – aufgebaut wird, entzieht es sich dem Anspruch der Wirklichkeitsabbildung. Es gibt sich als Bild zu erkennen, betont die Artifizialität des Mediums Bild, schafft eine Kunstwelt eigener Gesetzlichkeiten. Zudem können so im Bild selbst die Realitätsgrenzen aufgelöst, verschiedene Realitätsebenen vermischt werden in der Irrealität monochromer Gegenstandswelten.

henen oder erlebten Unrechts, sondern über alle konkrete, zynisch-scharfe Sozialkritik hinaus Fanale eines erregten, selbstzerstörerischen Zwangs, hinzusehen, zu durchschauen, zu erkennen. Die Wahrheit tritt nicht mehr in allegorischem oder mythologischem Gewand auf, sie ist weder edel noch hehr, sondern nur noch unentrinnbar.

Goya verschärft diese Aussagen dadurch, daß er auf die ästhetische Fluchtmöglichkeit schöner Bildfarbe verzichtet und sich schwarzweißer Drucktechniken bedient – der Radierung, der Aquatinta, im Alter sogar noch der Lithographie –, die zu diesem Zeitpunkt teilweise erst neu entwickelt waren. Das 18. Jahrhundert kennt einen zuvor nie dagewesenen Pluralismus künstlerischer Techniken, der das Gesicht der Epoche entscheidend mitgeprägt hat. Die Hochzeit des Rokoko entdeckt für sich zum Beispiel das

DAS PASTELL:
EINE VORLIEBE DES ROKOKO

Noch kennzeichnender ist eine andere Vorliebe dieser Epoche: das Pastell. Die Anstöße dazu wurden bereits im italienischen 15. Jahrhundert gegeben. Aber obwohl es Kreidezeichnungen von Leonardo, von Holbein, Philippe de Champaigne, Vaillant und vielen anderen gibt, wird diese Technik erst mit der Künstlerin populär, die oft fälschlicherweise als »Erfinderin« des Pastells galt: Rosalba Carriera. Und drei Merkmale ihrer Kunst bzw. der Genese ihres Stils sind für die Entwicklung des Pastells von Bedeutung. Erstens der Aspekt des Dilettantischen: Rosalba, die Tochter eines armen Holzhändlers, erhielt einen alles andere als hochwertigen Unterricht in ihrer Heimatstadt Venedig bei dem Bassano-Schüler Lazzari, der ihr das Zeichnen mit farbigen Kreiden nahelegte, entwickelte im übrigen aber ihren Stil autodidaktisch weiter. Sie selbst schätzte sich, wie aus ihrem aufschlußreichen Tagebuch hervorgeht, mehr als arrivierte Laienkünst-

lerin denn als professionelles Talent ein. Dennoch wurde sie rasch zu einem der begehrtesten Porträtisten in ganz Europa, Repräsentantin eines modischen Geschmacks. Die nicht sehr hohen technischen Anforderungen des Pastells, in dem mit künstlich gemischten Farbkreiden auf Pergament oder – oft getöntes – Papier gezeichnet wird, leisteten seiner Beliebtheit bei Dilettanten Vorschub. Die übliche Verwischung der Konturen mit einem sogenannten »tortillon«, die leicht mögliche Korrektur, die »saubere« Arbeitsweise ohne Palette, die Gefälligkeit selbst belangloser Werke und Werkchen machten das Pastell vor allem in England zu einer überaus populären Technik. Auch ließ sie sich mit den gesellschaftlichen Vorstellungen angemessener weiblicher Beschäftigung vereinen.

Ein weiteres Merkmal, das für die Bilder der Carriera symptomatisch ist, stellt ihre Herkunft von der Miniaturmalerei dar. Die Kleinteiligkeit dieser Bildgattung, das additive Vorgehen verbinden sie mit dem Pastell. So begann zum Beispiel auch der große Pastellist Liotard als Miniaturist.

Die Starre in den Pastellen der Rosalba, die ihr oft zum Vorwurf gemacht wurde und wird, ist ebenfalls ein wesentliches Kennzeichen. Trotz des Sfumatos, trotz der Auflösung scharfer Konturen, wie sie mit dem Rokokogeschmack so gut konvenierte, vermitteln sie eine eigentümliche Unbewegtheit, die vielleicht erst mit La Tour überwunden wurde, zugleich aber die Basis der klassizistischen Verwendbarkeit der Pastelltechnik – bei Tischbein oder der Kauffmann – bildete.

1720/21 verweilte Rosalba in Paris und gab damit den Impuls zu der großen französischen Pastellmalerei. Die verhaltene und kühle Repräsentation, die nicht anspruchsvoll-dominierend, sondern der Boudoirintimität angemessen war, machte diese Technik geeignet, eine Domäne französischer Künstler zu werden. Doch hier ist nun die Vielfalt verschiedener Talente auffallend, die jeweils andere Seiten des Pastells nutzten. La Tour, der bedeutendste aller Pastellisten, bevorzugte blaugetönte Untergründe, die von vornherein eine farblich bedingte Distanziertheit bewirkten, welche – wie in seinen Selbstporträts – mit der Ironie im Ausdruck der Dargestellten harmonierte. La Tour entdeckte auch die andere Möglichkeit, zu charakterisieren, Typisches in einer Physiognomie zu erfassen, wie das Pastell sie bot: durch die rasche Vorgehensweise, in der man mehrere Strichlagen übereinandersetzen konnte, ohne daß die Farben sich vermischten. Ein kühner roter Strich über mattes Blau, ein Bildnis wie das der Sängerin und Geliebten La Tours, »Mademoiselle Fel« (St.-Quentin, Musée »Dupouch«), das sind neue und geniale Erscheinungsformen im Porträt, die eben im Flüchtigen das Wesenhafte, in der veränderlichen Vitalität die Identität aufspüren.

Perronneau, La Tours Nebenbuhler in der Gunst des Publikums, bewies in seinen Bildern die Vornehmheit dieser Technik. Indem auf heller Grundierung aufgebaut wird, dominiert eine glanzlose Helligkeit auch die Farben. Perronneau beherrschte die Kunst mit Bravour, aus nur wenigen, manchmal nur zwei Grundfarben das gesamte Bild zu entwickeln. Die Vermeidung aller lauten Effekte zugunsten nobler Delikatesse, die Vermeidung alles Direkten zugunsten einer zurückgenommenen Präsenz, einer Abstand wahrenden Künstlichkeit machen seine

Pastelle aus. Liotard hingegen suchte gerade die Buntfarbigkeit. Neben einigen Bildern in hellen, von Weiß bestimmten Tönen finden sich in seinem Werk zahlreiche – oft »folkloristisch« türkische – Szenen und Porträts, die durch vermehrte Pigmentbeimischung in der Kreide ein kräftiges, kontrastreiches Kolorit haben. Aber auch bei ihm ist der Schatten aus der Bildwelt verbannt. Das Pastell ist niemals düster, niemals unverbindlich. Es kennt nichts Absolutes, nichts Abruptes. Und deswegen erlebte es im Rokoko seine höchste Blüte.

DIE ROLLE DER GRAPHISCHEN TECHNIKEN IM 18. JAHRHUNDERT

Es ist kein Zufall, daß die Schabkunst, eigentlich in Deutschland erfunden, dort nie populär wurde, sondern sich im 18. Jahrhundert in England einbürgerte. Dort nutzte man sie als eine graphische Möglichkeit, die durch die Verunklärung der Linie, durch ein quasi graphisches Sfumato anschauliches Analogon zu den literarischen Formen von »Sensibility« und »Sentimentality« war. Die sogenannte Punktmanier erweiterte die französische Crayonmanier zur Nachahmung der Kreidezeichnung, indem nicht nur Linien, sondern ganze Flächen in einzelne feine Punkte aufgelöst wurden. Ähnlich wie die Schabkunst diente sie dem weitverbreiteten Genre eines typisch englischen moralisierenden Rührstücks mit literarischem Charakter: In einer Art individualisierter und diminuierter Allegorie stellte man seelische Regungen dar, die in meist anspruchslospoetischem Text auf demselben Blatt kommentiert wurden. So zeigte Francesco Bertoluzzi, ein gebürtiger Italiener und Hauptmeister dieser Mode, »Die Seele eines Kindes, die von Engeln dem Allmächtigen zugeführt wird«; es gab wahre Fluten blütenpflückender oder schmetterlingshaschender süßer kleiner Mädchen, die die Unterschrift als Sinnbilder der »Sensibility« oder »Piety« auswies.

Ebenfalls in England gelangte eine andere, ursprünglich französische Technik zu Beliebtheit: die Weichgrundätzung. Bei dieser Sonderform der Radierung wurde anstelle des üblichen harten Ätzgrundes ein weicher Lack – daher die Bezeichnung des Verfahrens als »vernis mou« – aufgetragen, auf den ein dünnes Papier gelegt und darauf mit Stift oder Kreide die Zeichnung aufgetragen wird. Da dies

William Hogarth: Charakterköpfe und Karikaturen
Subskriptionsblatt zu »Marriage à la Mode«, 1743
Radierung, 20,4 x 20 cm. London, British Museum

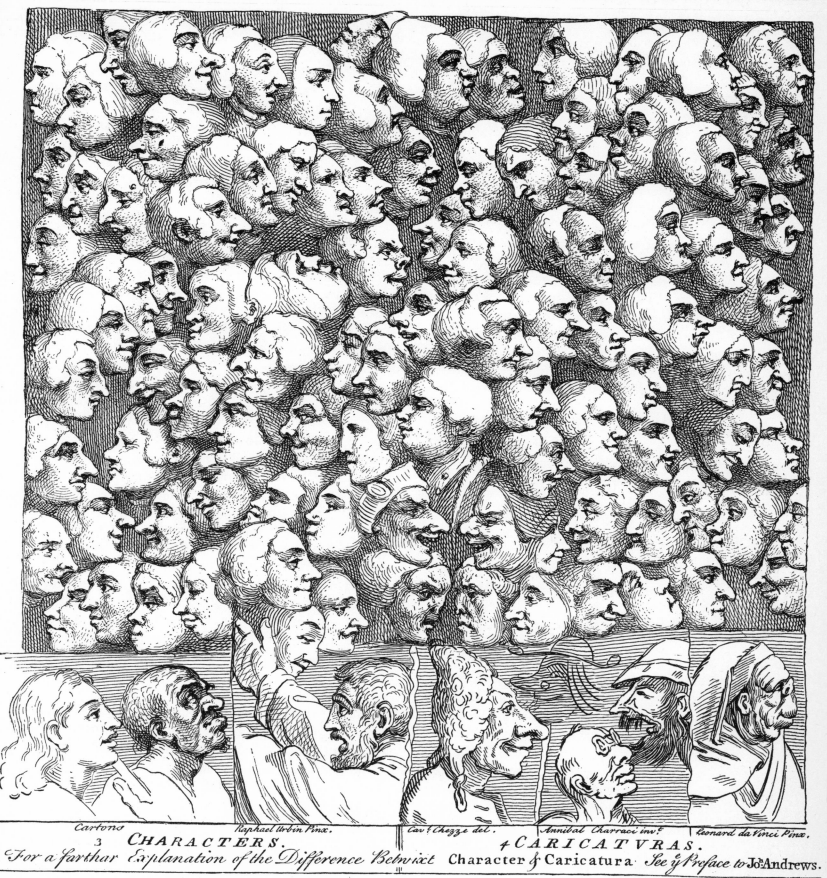

Cartons   Raphael Urbin Pinx.   Cav! Chezze del.   Annibal Charraci inv!   Leonard da Vinci Pinx.

3   CHARACTERS.   4 CARICATVRAS.

For a farthar Explanation of the Difference Betwixt Character & Caricatura See y. Preface to Jo.º Andrews.

W.Hogarth Fecit 1743

besonders zur Wiedergabe von Schraffuren und daher zur Darstellung von Gewändern geeignet war, machte Gainsborough es zu seiner favorisierten Technik.

Wie kaum ein anderer bediente sich Goya der Vielfalt graphischer Techniken; in der Frühzeit kopiert er große Meister in trocken-spröden Radierungen, perfektioniert sich darin, arbeitet mit Schabkunst und schließlich in Aquatinta. 1768 hatte Jean Baptist Leprince seine ersten Blätter in dieser Sonderform der Radierung angefertigt, als deren Erfinder er gilt (Vorformen gab es bereits im 17. Jahrhundert). Die Aquatinta – so benannt nach dem Scheidewasser, aqua forte, und der Farbe, tinta – ermöglichte es, Halbtöne in flächigem Druck wiederzugeben. Goya kombinierte sie mit verschiedenen anderen Techniken, so daß ihm eine ungeheure Breite an Ausdrucksformen zur Verfügung stand. Im Alter noch wendete er sich der Lithographie zu, dem Flachdruckverfahren mittels Stein- oder Zinkplatten, das Alois Senefelder 1797/98 in München entwickelt hatte.

Nicht allein die Vielfalt, sondern auch die souveräne Beherrschung graphischer Verfahren zeigt sich in einem thematischen Bereich, der sich bereits im 17. Jahrhundert in der Kunst etabliert hatte: im Capriccio.

CAPRICCIO – CAPRICE – CAPRICHO

1617 gab Jacques Callot eine graphische Serie heraus, die den Titel »Capricci« trug und schon die Wesensmerkmale dessen aufwies, was in der Folgezeit als »Capriccio« zu einem festen Begriff werden sollte: Auf ein Titelblatt folgten Blätter von relativ kleinem Format, die ohne jede programmatische Gebundenheit Szenen starken Improvisationscharakters zeigten und die, ohne sich auf eine Ordnung festzulegen, von einem Bildgegenstand zum nächsten übergingen. Die Entstehung des Wortes »Capriccio« ist noch nicht geklärt, wenngleich allgemein eine Ableitung von capra (= Ziege) und hieraus folgernd eine Bedeutung im Sinn von Laune oder Grille gebräuchlich ist. Vasari verwendete bereits das Adjektiv »capricioso« für eigentümlich, geistreich und die Regeln durchbrechend. Montana und Stefano della Bella übertrugen das Capricciohafte noch im 17. Jahrhundert auf ornamentale Folgen, und im Bereich des Ornamentstichs

kristallisierte es sich dann im 18. Jahrhundert als Rocaille zur kennzeichnendsten Form des Rokoko heraus.

François Cuvilliés d. Ä. publizierte um die Jahrhundertmitte seine »Morceaux de Caprices à divers usage«, die die Rocaille in ihrer symptomatischen Universalität zeigten – als Rahmenform, als Dekorationsprinzip, als Ornament für Möbel, als Bildgegenstand. Wurde anfangs die Auflösung der Konturen im weitesten Sinne als ein Merkmal der Rokokokunst angenommen, ist dies vor der Rocaille anschaulich nachzuvollziehen. Sie vereint in den alludierten Gegenständen – Korallen, Muscheln, Segel, Rauch, Blattranken – die Elemente, ohne einem motivisch eindeutig anzugehören. Sie kann Grenzen überspielen zwischen Bild und Rahmen, zwischen Architektur und Bild vermitteln, Flächen überspannen, ohne sie auszufüllen, zugleich aber selbst Darstellungsgegenstand in ornamentaler Form oder verborgenes Prinzip bildinterner Bewegungen sein.

Giovanni Battista Tiepolos Radierungsfolge »Varii Capricci« (1749) weist die Gestaltenfülle auf, die das Capriccio zum Inbegriff phantasievoller Form macht: Krieger, Orientalen, Satyrn und Hirten, fahrendes Volk und unterschiedliche Tiere, Antikes und Exotisches sind Instrumente sich selbst darstellenden Ideenreichtums. Eine andere Tendenz haben die »Idee pittoresche sopra la Fuga in Egitto« (1753) seines Sohnes Giovanni Domenicho, in denen der irreale Zauber des Capriccios die Szenen der »Flucht nach Ägypten« zu zarten, märchenhaften und wunderbaren Ereignissen verklärt. Piranesis »Carceri«, oft als künstlerische Manifestation eines Antirokoko im Rokoko bewertet, waren in ihrer ersten Ausgabe um 1745 unter dem Titel »Invenzioni Capric di Carceri« erschienen. Ihr Capricciocharakter, der sie wie auch Piranesis »Opere varie di Architettura« (1750) durchaus als Kunstform der Epoche verstehbar macht, ist wiederum anders geartet; konkrete Architekturversatzstücke werden zu einem Labyrinth verdichtet, das seinerseits nicht mehr konkrete Architektur abbilden will, sondern in gegenständlicher Unwirklichkeit die Wirklichkeit wachgerufener Assoziationen beweist. Das Capriccio ist hier Mittel, die aus ihrem eigentlichen Kontext herausgelösten und so verfügbar gemachten Dinge nicht zu einer musivischen Staffage zu verbinden – wie es im Klassizismus geschieht –, sondern zu einer neuen Einheit

Giovanni Battista Piranesi: Blatt Nr. III aus der Folge ▷
»Carceri d'Invenzione« (Phantastische Verliese), 1761
Radierung, 54 x 41 cm. Paris, Bibliothèque Nationale

zu verschmelzen, deren Konstruktionsprinzipien der
Phantasie und Imaginationskraft des Künstlers
entspringen.

Faßt man den Capricciobegriff etwas weiter, fällt
darunter auch die Ruinenmalerei, die in Rom in
Pannini und dessen Schüler Hubert Robert, genannt
»Robert de ruines«, ihre bedeutendsten Vertreter hat.
Antike Architekturfragmente sind hier noch nicht mit
dem reflektierten Stilbewußtsein des romantisch-klas-
sizistischen Gartenbaus eingesetzt, auch nicht – wie
bei Wilson, Hackert oder Vernet – als einzelne,
addierbare Stimmungsträger. Sie sind in ihrem Nicht-
mehr-vollständig-Sein auch nicht barocker Vanitas-
Allegorik verhaftet. Das Ruinöse wird vielmehr wahr-
genommen als ein Gegenstandsangebot, das durch
seine Mangelhaftigkeit Raum läßt für die ergänzende,

assoziierende Einbildungskraft jedes individuellen
Betrachters, das durch sein Aufgelöstsein barocken
Ordnungssystemen widerspricht und das potentieller
oder genutzter Bühnenraum vitaler Ereignisse ist.
Magnascos nächtliche Szenen haben in dieser Inter-
pretation ebenfalls Capricciocharakter.

Guardis Inselserie jedoch verdeutlicht am
klarsten, daß das Capriccio eine thematische Schwe-
stererscheinung zu der Vision einer »Ile enchantée«
darstellt. Die Losgelöstheit von den Prinzipien inner-
bildlicher Logik und zusammenfassendem Programm
steht in Wechselbeziehung mit der Losgelöstheit vom
Festland, die private Subjektivität der Bilderfindung
mit der intimen Begrenztheit einer Insel. In der
Unbegrenztheit subjektiver Phantasien und Imagina-
tionen entdeckt das Individuum in sich selbst ein

Canaletto: Phantastische Ansicht von Padua
Radierung, 30,2 x 43,4 cm
München, Staatliche Graphische Sammlung

»Vineta«, eine versunkene, goldene Insel. Die Projektionsmöglichkeiten der »Fêtes galantes« haben hier ihre Alternative gefunden, den Endzeitängsten zu entrinnen. Vielleicht muß man in einem Bild wie Goyas »Begräbnis der Sardine« (Madrid, Academia di San Fernando) den drastischen Schlußpunkt dieser Festvisionen als Vehikel sehen, der Tatsächlichkeit entrückt zu werden: Aus der Liebesfeier ist ein apokalyptisches Spektakel geworden.

FRAGMENTIERUNG UND ERFINDUNG

Und ebenso ist nach Goyas »Caprichos« (1793–1798) das Capriccio als Entfaltungsraum heiterer Verzauberung, als Insel außerhalb jeder Wirklichkeitsverpflichtung, als Erlebnisfeld subjektiver Episoden versperrt.

Goya nimmt das Capriccio gewissermaßen nur noch als thematischen Vorwand dafür, an keine formalen und inhaltlichen Vorgaben gebunden zu sein. Aber die Unverbindlichkeit des Phantastischen gibt es hier nicht mehr. Die Visionen geflügelter Monster, abnormer Physiognomien, surrealer Mensch-Tier-Gestalten, sinistrer Gnome, maskierter Falschheit, von Grausamkeit und Zerstörungslust sind Abbilder, die Alpträume Wirklichkeit. Die schöne Hexe trägt die Züge der Herzogin von Alba, die bestialischen Gespenster tragen Mönchskutten, die heuchlerischen Opportunisten zeitgenössisch-höfische Gewandung; die Ehebrecherin zitiert die Gestalt einer Prinzessin in dem Bildnis der Königsfamilie, die Opfer entsetzlicher Inquisitionsfoltern sind mit »genrehafter« Genauigkeit dem Leben gemäß ausgestattet; die zum Tod verurteilte Frau, die, von ihrem Mann geschunden, einen Liebhaber nahm, bezieht sich auf einen konkreten Prozeß. Goya macht es dem Betrachter absolut unmöglich, der Faktizität des scheinbar Irrealen zu entrinnen, sich der Erkenntnis zu entziehen, daß das vermeintlich Phantastische nicht nur im abstrakten Sinn wahr, sondern real vorhanden ist. Die Unterschriften der Bilder funktionieren genauso; meist sind es Zitate aus Literatur oder Sprichwortgut, die oft Antiphrase zum Gezeigten sind – eine Hexe vor zwei Hexenmeistern wird mit dem Kommentar »Frommes Bekenntnis« versehen –, immer aber sind sie in ihrer Verrätselung eindeutig, wenn sie in den damaligen akuten Kontext sozialer, politischer oder literarischer Art gestellt werden, dem sie entnommen sind. Dieser Kontext darf nicht aus heutiger Sicht als hermetisches Geheimwissen angenommen werden, er war All-

gemeingut. Goya macht und beweist in den »Caprichos« die revolutionäre Entdeckung, daß in der Verweigerung der äußeren Wirklichkeitsabbildung erst die eigentliche innere Wirklichkeit sichtbar gemacht werden kann. Er entdeckt, daß die nachahmende Ähnlichkeit der Wesenserfassung im Wege steht. Er erkennt, daß das Ähnliche unähnlich macht – und gerade darin ist die Kunst des 20. Jahrhunderts, die Kunst eines Ensor oder Bacon, ohne ihn nicht zu verstehen.

Aber auch in dieser radikalen Konsequenz, wie sie Goya zieht, ist noch der eigentliche Diskussionsgegenstand der Wahrheit enthalten, der für das 18. Jahrhundert von so eminenter Bedeutung ist. Wahrheit und Wirklichkeit können jedoch ebenso in ihrem Gegenteil Gestalt gewinnen. Wahrheit und Wirklichkeit sind Inhalt der Illusion. Und das zeigt

Francisco José de Goya: Unordentliche Torheit. Aus der Folge »Disparates«, 1815–1824. Radierung und Aquatinta, 24,5 x 35 cm. Madrid, Museo del Prado

Francisco José de Goya: Stierkampf mit
abgeteilter Arena, 1825. Lithographie,
30,5 x 41,5 cm. Paris, Bibliothèque Nationale

sich in der illusionärsten aller Illusionen: auf der
Bühne.

DIE BÜHNE:
NEUE TECHNIKEN DER ILLUSION

Um 1700 setzt im Bereich der Bühnenmalerei eine
Wende ein, die nicht zu lösen ist von der Dynastie der
Galli Bibiena, deren bekannteste Mitglieder Givanni
Maria, Ferdinando, Giuseppe und Carlo sind. Sie
arbeiteten in Venedig, Berlin, Dresden, München,
Prag, Wien, Bayreuth und zahllosen anderen Städten.
Die nachhaltigste Erfindung machte Ferdinando, der
1703 in der Accademia del Porto zu Bologna erstmals

das Diagonalachsensystem anwandte: die Kunst, die
Zentralachse zu verschieben und so Nebenräume
über die Ecke zu sehen – »veder scena per angolo« –,
was dieser Technik die Benennung »scena per
angolo« einbrachte. 1711 wurde dies von Ferdinando
theoretisch dargelegt und somit verfügbar gemacht.
In dieser Erfindung nur ein belebendes Element zu
sehen, das die erstarrten Traditionen barocker
Bühnentradition aufbricht, hieße sie in ihrer eigentlichen Bedeutung verkennen. Daß die Hierarchie
achsialer Systeme aufgegeben wird, ist nicht nur ein
symptomatisches Phänomen dessen, was das Rokoko
ausmacht, sondern auch Indiz einer veränderten
Kommunikation zwischen Bild und Betrachter. Die

Franz Anton Maulbertsch: Mariä Himmelfahrt, um 1780
Radierung und Kaltnadel (unvollendet), 42 x 32 cm
Wien, Graphische Sammlung Albertina

Cosmas Damian Asam: Hl. Michael auf Wolken, um 1718
Schwarzer Stift, Rötel und Pinsel, 38,3 x 29,3 cm
München, Staatliche Graphische Sammlung

Illusionskraft des Überschaubaren hat sich erschöpft, die Illusionskraft des Labyrinthischen ist entdeckt. Die strenge Gesetzlichkeit der Zeremonie, wie sie das barocke Bühnenbild noch forderte und bedingte, ist in einer »scena per angolo« nicht möglich. Die Dezentralisierung des Bewegungsraumes bewirkt automatisch eine Dezentralisierung der Bewegungsabläufe. Der Widerspruch der Begriffe »Künstlichkeit« und »Natürlichkeit« wird auf eine interessante Weise aufgelöst und zugleich betont: Wenn sich auf einer solchen Bühne Geschehen »natürlich« abspielt, so ist diese Selbstverständlichkeit Resultat künstlich geschaffener Konditionen.

Die Bühne der Galli Bibiena ist noch in einer anderen Hinsicht wesentlich und charakteristisch für den Beginn einer neuen Epoche. Sie ist bildlicher Ausdruck einer neuen Rhetorik, die nicht durch klare Gliederung und geradlinige Logik überzeugt, sondern durch das Indirekte der Aussage. Hier wird hinter schrägstehenden Wänden verborgen, hier gibt es Ecken für Heimlichkeiten und Schleichwege für

Überraschungen. Unerwartetes, Nichtberechenbares bannt den Zuhörer bzw. Zuschauer, das Nichtgesehene wird zum Katapult der Illusion. Hier kann der Auftritt wirklich zum Ereignis werden – und diese Möglichkeit nutzt ein scheinbar entgegengesetzter Bereich, nämlich die Sakralkunst.

DIE FROMMEN BILDER DES ROKOKO

Die Verlängerung des Realraumes im Deckenbild durch ein in die Fläche übertragenes architektonisches System, wie es Pozzo erfunden hatte (übrigens selbst ein Bühnenbildner), entspricht noch der barocken Rhetorik. In den Deckenfresken Cosmas Damian Asams in den Klosterkirchen Weingarten (1718/19) oder Aldersbach (1720) werden dadurch hierarchische Ränge ausgebildet, auf denen sich das himmlische Geschehen abspielt. Schon in Weltenburg werden die Grenzen dieser einzelnen Aktionsetagen überspielt im eigentlichen Wortsinn. Und ebendort wird auf einer anderen Ebene bereits das heilige

◁ Giovanni Battista Tiepolo: Die Entdeckung von
Pulcinellas Grab. Aus der Folge »Scherzi di fantasia«
Radierung, 23,5 x 18,2 cm. Amsterdam, Rijksprentenkabinet

Theater, das »theatrum sacrum« inszeniert: Vor einem Lichtgrund erscheint der hl. Georg. Die Stuckfigur steht frei in einem für sie geschaffenen und beleuchteten Bühnenraum, sie tritt auf. Auch die Himmelfahrt Mariens in Rohr will das besagen: Das wunderbare Geschehen ist greifbar, es ist menschlich nahes Ereignis. Unter diesem Aspekt ist es geradezu von innerer Zwangsläufigkeit, wenn Johann Baptist Zimmermann zum Beispiel in der Steinhauser Wallfahrtskirche eine Landschaftszone, die sogenannte terrestrische Zone, auf die Decke malt, die wie ein Rahmen die Himmelsmitte umgibt. Damit schafft er eine Bühnenrampe für den Auftritt heiliger und profaner Akteure. Die Wunder sind verstehbar, sind gegenwärtig und dennoch entrückt, greifbar und unerreichbar in einem, denn die menschliche Nähe und Erklärbarkeit des Erscheinens werden zurückgenommen durch die Hermetik des Bildes, das sich jetzt als solches zu erkennen gibt. Und diese Verwertung von Bühnenerfahrung ist auch dann spürbar, wenn der Bühnenraum leer bleibt. In dem Deckenfresko der Wieskirche läßt Zimmermann die Himmelspforte verschlossen, den Thron des Weltenrichters unbesetzt und läßt ihn dazwischen in Wolken auf dem Regenbogen der Versöhnung erscheinen. Die Spannung zwischen den beiden unerfüllten Aufenthaltsräumen, die wie Pole im Westen und Osten einander gegenüberstehen, steigert sich eben dadurch, konzentriert sich auf die Botschaft, die Christus in der Mitte verkündet. Nicht direkt, sondern indirekt, nicht in der Erfüllung, sondern in der Erwartung erleben wir das Heilsgeschehen.

Wenn bei Holzer oder Maulbertsch, Zimmermann oder Günther volkstümliche Elemente in die sakrale Sphäre Einzug halten, wenn Tiepolo Requisiten italienischen Alltags in biblische Szenen einbringt, ist das alles einer ähnlichen Bildsprache verpflichtet. Und das Rokoko als eine Epoche reduzierter Frömmigkeit zu interpretieren heißt, diese Sprache nicht verstehen, die sich neuer Vokabeln, neuer rhetorischer Mittel bedient, um gehört zu werden und anzukommen.

DIE BEDEUTUNG DES INDIVIDUUMS UND DES INDIVIDUELLEN

Der Zugang zur gesamten Kunst des 18. Jahrhunderts ist nur möglich, wenn man Formen, Mittel, Kategorien und Wertordnungen des Barock kennt, ohne sie als gültigen Maßstab anzuwenden. Nie zuvor spielte das Individuelle, Subjektive in der Kunst eine so große Rolle. Es ist zentraler Darstellungsgegenstand im Porträt. Die Unwiederholbarkeit des Individuums wird nicht nur im Menschen, sondern auch im Tier entdeckt, und die topographisch genaue Wiedergabe einer Stadtansicht ist ebenfalls als Bildnis einer einmaligen Erscheinung zu sehen. Das Individuelle ist darüber hinaus aber auch Darstellungsmodus, wird als Eigenwert ins Bild aufgenommen, wie sich zum Beispiel im Capriccio zeigt. Und nur in der Dominanz künstlerischer Persönlichkeit über Strömungen, Stilmerkmale und Verabredungsbegriffe der Epoche werden die größten Maler dieser Zeit verstehbar. Tiepolo wie Goya, Piranesi wie Hogarth, Blake wie Chardin sind keiner Stilepoche unterzuordnen. Ihr Werk ist geprägt von Bilderfahrung und Zeitgeist der eigenen Generation, entzieht sich aber dadurch, daß es über diese hinauswächst, dem terminologischen Zugriff. Vielleicht ist es gerade das Entgrenzende des Rokoko, das den Weg freigibt für solche Sondertalente.

Herausgeber und Verlag danken den Museen, Bibliotheken und Sammlungen für die Erlaubnis zur Wiedergabe von Abbildungen aus ihren Beständen. Bildnachweis: Archiv Alexander Koch, München. Gruppo Editoriale Fabbri, Mailand. André Held, Ecublens. Corpus der barocken Deckenmalerei in Deutschland, München. Piper Verlag, München. Schuler Verlag, Herrsching. Walther & Walther Verlag, München.

Jean-Antoine Watteau
1684–1721

Zu diesem Bild des »Gleichgültigen« gibt es ein Pendant, eine Lautenspielerin, die in Pose und Kleidung mit Haltung und Kostüm des Tanzenden korrespondiert. Aber auch ohne es zu kennen, begegnen wir ihm hier: Das Lauschen und Schauen des jungen Mannes lassen uns die Musikantin sehen, die Saitenklänge vernehmen. Fast genau auf die Mittelachse hat Watteau seine Gestalt plaziert, als wolle er ihr dadurch den Halt verleihen, den sie selbst nicht haben kann. Die Beinhaltung des Tänzers ist denkbar instabil, sein linkes Bein extrem gedreht, der Fuß rechtwinklig gestellt, und mit dem rechten Bein balanciert er auf der Fußspitze in labilster Schrittpose. Und dennoch liegt Versunkenheit in seinem Blick, hält er still in der Bewegung. Er nimmt eine Haltung äußerster Anmut und choreographischer Künstlichkeit ein, die schwerelos scheint und doch gefährdet ist.

Wir ahnen, wir wissen bereits das Ende dieses Augenblicks, wo er den Fuß aufsetzen, wieder Halt gewinnen und Kraft sammeln muß. Zugleich aber liegt in der fast selbstvergessenen Hingabe des jungen Mannes eine Ruhe und Zeitlosigkeit, die diesen Gedanken verbietet. Und Watteau zeigt auch, daß dieser Gedanke in diesem Bild unausführbar wäre: Da gibt es weder Erde noch Bretterboden, da gibt es keinen begehbaren Raum, keine konturierte Umwelt. Bewegung, Haltung und Ponderierung als reale körperliche Probleme werden hier irreal. In dem Moment, in dem der Tänzer diese Haltung künstlicher Grazie und Anmut aufgibt, erlischt das Bild.

Ob es sich um einen Abschied von der Insel der kytherischen Venus handelt oder um die Ankunft dort, ist nicht zu klären. Die Kunstwissenschaft hat anschaulich bewiesen, daß diese thematische Unbestimmtheit beabsichtigt ist. Dieses örtliche und zeitliche Nirgendwo macht die »Ile enchantée«, die verzauberte Insel, aus, befähigt sie, zwischen Wirklichkeit und Unwirklichkeit zum Schauplatz lebender Träume und geträumten Lebens zu werden. Die Venus als steinerne Herme, rosenumschlungen, der Silen, Gefolgsmann des Bacchus, die Eroten in der Luft und auf der Erde, die Insel Kythera selbst: Alle Entlehnungen, alle Zitate aus der Mythologie verunklären den Realitätsgrad. Und wie auch die Mythologie selbst ihre Aura aus der Unschärfe, aus der Entferntheit, aus der Deutbarkeit bezieht, werden auch hier der Dunst über der Rubensschen Weltlandschaft, die Ungeklärtheit der Situation zur Bildaussage. Das Motiv der Pilgerschaft, erkennbar an den Pilgerhüten, Pilgerstäben und Umhängen, wird zum Motiv inbrünstiger Sehnsucht.

Das Ziel heiliger Pilgerfahrten, die Wunder wirken, Hoffnungen stillen, Gelöbnisse erfüllen sollen, erfährt seine profane Umdeutung. In der Zeitenthobenheit des Liebesfestes liegt die Unsterblichkeit, im Liebesschwur die Wahrhaftigkeit des Gelöbnisses, in der Liebe selbst die himmlische Verzückung. Die Pilger brechen nicht auf, sie kommen nicht an, weil es keiner Reise bedarf: Die Sehnsucht ist in ihnen, von ihnen selbst zu stillen.

Jean-Antoine Watteau:
Der Gleichgültige
(Junger Mann in Tanzpose), 1717
Öl auf Holz, 26 x 19 cm
Paris, Musée National du Louvre

Jean-Antoine Watteau:
Einschiffung nach Kythera, um 1718/19
Öl auf Leinwand, 129 x 194 cm
Berlin (West), Staatliche Museen, Schloß Charlottenburg

Jean-Antoine Watteau
1684–1721

Kaum einer, der das Bild gesehen hat, kann es vergessen. Man forschte nach Textvorlagen, suchte nach biographischen Bezügen, nach Spätwerks-Verklärung, weil es in Watteaus Todesjahr entstand, und erklärte es zum Aushängeschild einer italienischen Truppe. Seine Faszination wird dadurch nicht verstehbar.

Wir sehen Zedern, Pinien, Sträucher, eine Faunsherme, Akteure der Commedia dell'arte und davor, darüber den Gilles. Er steht da mit hängenden Armen in seinem weiten Pierrotkostüm; er steht ganz vorn und ist scheu, er soll erheitern und schaut nur melancholisch aus dunklen Augen, er sollte präsent sein und scheint traumhaft in sich zurückgezogen, er ist unbeholfen, obwohl die Bühne gewohnt. Die Kollegen im Hintergrund gehören einer anderen Sphäre an, sie sind vital, lustig-rege, beachten ihn nicht. Der Gilles ist einsam. Fast – denn mit einem Auge nur, aber mit dem gleichen melancholischen Blick schaut ein Esel über die Bühne. Ist die Natur Kulisse, ist die Kulisse Natur? Spielt Gilles die Rolle des einfältig Wissenden, des schüchternen Träumers, oder ist er das? Ein regloser, unbemerkter Augenblick der Stille im Theaterlärm, ein Moment der Wahrheit im Intrigenspiel, ein Atemzug der Natur in der Kunstwelt.

Ein junges Paar in der freien Natur. Bäume, Büsche, Blumen sind nur zu erahnen, sind nur so angedeutet, daß ihnen die begehrliche Luft des Hains entsteigt, daß die Aura süßer Heimlichkeit aufgeht. Dunstig zerfließen die Farben ineinander, als wäre ihr Widerstand bereits gebrochen, kein Dunkel schreckt, keine Tageszeit mahnt. Leuchtend rot liegt ein Mantel im Gras. Das Entkleiden hat schon begonnen, das Rot wird zur farblichen Schwerkraft, scheint magisch anzuziehen. Wir sehen die kräftige Hand des Mannes, die zugleich stützt und nach hinten geleitet, sein brünettes Gesicht mit faunischen Zügen, wir sehen den weißen Hals der Frau, ihr silbrigblaues Seidenkleid, das sich um feste Schultern spannt. Noch drückt ihre Rechte ihn widerstrebend von sich, aber die Linien von Nacken und Rücken drängen bereits in eine andere Richtung.

Wir genießen die Lust unbemerkten Lauschens, aber Watteau läßt uns nicht zu Voyeuren der Hingabe werden. Er zeigt uns nur das letzte Zögern, das verheißungsvolle Noch-Nicht. Und eben dadurch beteiligt er uns an der Szene, fordert uns auf, sie zu Ende zu denken, so daß letztlich wir die Verführten sind.

Bei dieser »Fête galante« beansprucht nichts und niemand, Zentrum des Geschehens zu sein: selbstvergessen das menuettanzende Paar, vor sich hinträumend der Dudelsackpfeifer, ein Kavalier, der sich mit der Eroberung seiner Schönen beschäftigt, ein spazierendes Paar vor dem Brunnen, eng zusammengerückt zwei Damen und ein Komödiant. Zusammengefaßt zu einem atmosphärischen Ganzen wird alles durch die Anverwandlung der Materien, Taft, Wasser, lebendige Gestalt und steinerne Figur, Laub und Gelock sind einander ähnlich, beteiligt an der Suggestion des Festes.

Jean-Antoine Watteau:
Gilles, 1721
Öl auf Leinwand,
184 x 149 cm
Paris, Musée National
du Louvre

Jean-Antoine Watteau:
Der Fehltritt
(Junges Paar im
Freien), 1717
Öl auf Leinwand,
50 x 41 cm
Paris, Musée National
du Louvre

Jean-Antoine Watteau: Venezianisches Fest, 1719
Öl auf Leinwand, 56 x 46 cm
Edinburgh, National Gallery of Scotland

FRANKREICH

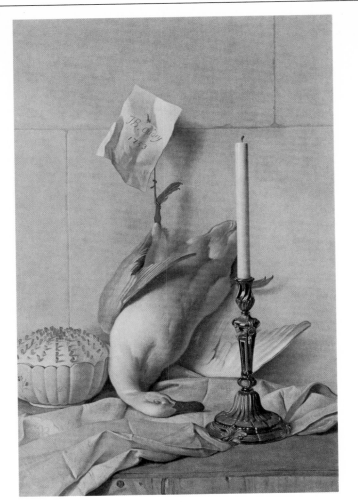

Jean-Baptiste Oudry
1686–1755

Oudry kannte die niederländischen Stilleben des 17. Jahrhunderts. Er hatte sie gesehen und durch seine Lehrer Michel Serre und Nicolas de Largillière vermittelt bekommen. Aber in einem Spätwerk wie diesem zeigt er radikal: Das französische Stilleben des 18. Jahrhunderts ist völlig anders geartet.

Der Bildinhalt verzichtet nicht nur auf allegorische Verweise, sondern er wird nahezu negiert. Die Auswahl der Gegenstände – die weiße Ente, das weiße Dessert in weißer Porzellanschüssel, das weiße Damasttischtuch, die weiße Kerze in silbernem Leuchter, das weiße Blatt Papier mit Signatur und Datum, alles vor eine weiß getünchte Wand gesetzt – macht auf eindringliche Weise deutlich: Hier hat nicht der Sinngehalt der Dinge die Auswahl bestimmt, sondern einzig und allein die gemeinsame Eigenschaft, einem Komplex von weiß-silbrigen Tönen anzugehören. Die Monochromie des Bildes wird nicht durch eine nachträgliche Entfärbung buntfarbiger Gegenstände erreicht, sondern ist diesen bereits immanent.

Die so oft zitierte Künstlichkeit des Rokoko erscheint hier in einer ironisch-raffinierten Brechung. Sie gibt sich nämlich nicht als etwas Nichtgemachtes zu erkennen, sondern erscheint als Abbild des Vorgefundenen. Solchermaßen werden die Artifizialität und Delikatesse zur Realität erklärt. Sie muß nicht hergestellt, sondern nur gesehen werden.

Jean-Baptiste Oudry:
Stilleben mit weißer Ente, 1753
Öl auf Leinwand, 95 x 63 cm
London, Sammlung Marquise
de Cholmondeley

Nicolas de Largillière
1656–1746

Der Name der Schönen ist in Vergessenheit geraten. Doch obgleich Largillière eine bestimmte Schönheit abbildete, die ihm Modell stand, tritt ihre Individualität hinter ihrer Kleidung und Herkunft zurück. Diese Straßburger Tracht ist eigentlich Gegenstand des Bildes, sie ist detailgetreu und unverwechselbar wiedergegeben mit der bravourösen Materialkennzeichnung, die auf die flämische Ausbildung des Malers verweist. Der Spitzenbesatz an Umschlagtuch und Blusenjabot, der kunstreich gefältelte Ärmel, das fest geschnürte Mieder mit reicher Bordüre und im Kontrast dazu der schlichte Rock und schmucklose, weitausladende Hut – das sind keineswegs nur Demonstrationsobjekte malerischen Könnens. Sie beweisen, daß hier weniger eine bestimmte Person als ein Kostüm porträtiert wurde.

Die zarte Schönheit der Dargestellten bekommt so den Charakter des Allgemein-Unverbindlichen, wohingegen ihr Gewand das Besondere, das Charakteristische ist. Zugleich ist die Eleganz der Pose, die Feinheit des Gesichts Indiz dafür, daß hier keine ländliche Schönheit ihr Festtagsgewand stolz präsentiert, sondern daß eine raffinierte Dame von Welt, das Mätressenhündchen im Arm, die Tracht als Verkleidung gewählt hat, um die Illusion fester, unverbrüchlich-naiver Traditionsgebundenheit zum Vehikel eines gespielten Daseins zu machen.

Nicolas de Largillière:
Die schöne Straßburgerin, 1703
Öl auf Leinwand,
138 x 106 cm
Straßburg, Musée
des Beaux-Arts

Jean-Marc Nattier d. J.
1685–1766

Als um die Mitte des Jahrhunderts der Anteil der Porträts auf den offiziellen Kunstausstellungen immer größer wurde, forderte die Kritik, künftig nur solche Bildnisse zuzulassen, die sich durch einen übergeordneten thematischen Vorwurf zum Rang von Gemälden erhöhen. Gleichzeitig brachte gerade diese Generation eine Vielzahl an Porträtbegabungen hervor, zu denen neben Roslin oder La Tour auch Nattier gehörte.

Wie kein anderer nutzte Nattier die Chance, die die barocke Form des »Portrait historié« bot, eine Einkleidung in historisch-mythologisches Gewand. Es gelang ihm, thematische Aufwertung und Verallgemeinerung mit höfischer Eleganz und dekorativer Pose zu verbinden. Als er endlich zum »Peintre du Roi« ernannt wird, zählen vor allem die »Mesdames« zu seinen Modellen. Auch die Porträts, die der König für sein Schlafzimmer in Choisy bestellt, stellen zwei seiner Töchter dar – Madame Adelaïde als Diana, Madame Henriette als Flora –, wobei das Kostüm Zeugnissen zufolge auf die verschiedenen Temperamente anspielte.

Nattier berichtet in seinen Erinnerungen, daß er – den Anweisungen der Königin folgend – zuerst den Kopf gemalt habe. Physiognomische Ähnlichkeit und mythologische Rolle, stilistische Freiheit und Reglement des Auftraggebers mußten in eleganter Staffage vereint werden.

Jean-Marc Nattier d. J.:
Madame Henriette als Flora, 1745
Öl auf Leinwand, 94 x 128 cm
Florenz, Galleria degli Uffizi

Nicolas Lancret
1690–1743

Neben Jean-Baptiste Pater gilt Lancret als der bedeutendste Repräsentant der breiten Nachfolge Watteaus, die meist aus dessen »Fêtes galantes« einzelne Motive oder Gruppen herauslösten, um sie zu eigenständigen Bildthemen zu machen. Dieses Vorgehen allein ist schon bezeichnend für eine charakteristische Tendenz des Rokoko: die Neigung zum Kleinen, Intimen. In Lancrets »Schaukel« wird ein Lieblingsmotiv aufgegriffen, das sich nicht nur bei Fragonard, Boucher und Pater, sondern auch bei weniger bedeutenden Malern der Epoche findet. Was gerade die Schaukel zu einem so gern gewählten Bildgegenstand macht, wird hier deutlich.

Es ist nicht nur die erotische Aura, die in den Blicken unter die Röcke ihren »glücklichen Augenblick« erlebt, sondern auch die Tatsache, daß die Schaukel Sinnbild eines Zwischenreichs ist, das weder der Erde noch der Luft zugehört. Sie ist weder in der Zugehörigkeit zu einem Element noch in ihrem Ort faßbar. Sie entzieht sich durch ihre Bewegung dem Zugriff, dem körperlichen Kontakt, den sie provoziert. Die Unverbindlichkeit der Koketterie, die Freiheit des Intimen, das »Anbandeln«, ohne sich fest zu binden, finden in der Ziehschnur, mit der der begehrliche Kavalier die Schaukel in Bewegung setzt, kein Symbol, aber doch eine unübersehbare Anspielung.

Nicolas Lancret: Die Schaukel
Öl auf Leinwand, 70 x 89 cm
London, Victoria and Albert Museum

François Boucher: Die Erziehung Amors, 1742
Öl auf Leinwand, 118 x 136 cm. Berlin (West),
Staatliche Museen, Schloß Charlottenburg

François Boucher
1703–1770

Auf Wolken, über die eine scharlachrote Draperie gebreitet ist, lagert die jugendliche, kraft-
volle Gestalt des Götterboten Merkur. Neben
ihm steht Venus, eine Taube ans Herz ge-
drückt, bis zu den Knien in Wolken, zeigt ihren
perlmuttern schimmernden Rücken und blickt
mit koketter Miene zu Merkur, dessen Interesse der Unterweisung Amors gilt. Amor, Kupp-
ler und Liebesstifter, scheint unbeteiligt; ange-
strengt studiert er in einem großen Folianten,
der den Namenszug Bouchers und das Entste-
hungsdatum des Bildes trägt. Doch seine
Macht besiegt alles, wirkt durch seine Anwesenheit. Schon wendet sich Merkur über die
Schulter Venus zu, schon lockt sie mit Blicken
und Gesten. Noch ist das Feuer, das Amors
Fackel zu entzünden pflegt, nicht entfacht.
Doch die gespannte Erwartung, die erotisch
geladene Atmosphäre des Davor, die die Situation beherrschen, kündigen bereits seinen Sieg
an.

Diana, stolz und siegreich, kehrt beutebeladen
im Gefolge ihrer Gefährtinnen von der Jagd zurück. Für den barocken Maler ein Anlaß für
einen großartigen Triumphzug, für Boucher
Thema einer intimen Entkleidungsszene. Er
zeigt die keusche, strenge Göttin als ein junges
Mädchen mit verführerischen Reizen, von deren glatten Schultern das Batisthemd sanft her-
untergleitet. Ein Ausdruck leichter Ermattung
liegt auf ihrem Körper, was die erotische Delikatesse der Szene noch steigert. Die Früchte
ihrer Beute sind nebensächlich, die drei Nym-
phen neben ihr in frischer Anmut verstärken
den Antechambre-Charakter der Situation
und heben zugleich die pulsierende, schwüle
Müdigkeit der Göttin hervor. Der Akt des Ent-
kleidens ist zum zentralen, anzüglichen Thema
geworden und Diana zu einer Paraphrase der
Louise O'Murphy, die sich, von ihren Diene-
rinnen assistiert, auf den Besuch ihres fürstli-
chen Geliebten vorbereitet.

In dieser Familienszene beim Frühstück ist
nichts von Nestwärme zu spüren, nichts von in-
nigem Mutterglück und Geborgenheit. Die ju-
gendlich-elegante Mutter wendet sich nur bei-
läufig dem Kind zu, das mit seinem Spielzeug
beschäftigt ist. Eine Amme hält ein kleines
Mädchen auf dem Schoß, das püppchenhaft
starr wie ein Requisit wirkt. Auch der Diener,
der eine Kanne bereithält, wirkt unbeteiligt.
Die Stimmung, die das Bild entfaltet, ist vielmehr die einer uneingeschränkten heiteren
Helligkeit. Die Kinder sind Symbole der Sor-
genfreiheit, die Frauen und der Diener die von
Jugend und Schönheit, die Morgenstunde Inbegriff des Schattenlosen. Spiegel und Vergol-
dungen, goldgelbe Gardinen, helles Porzellan
und vor allem die weit herabgezogenen hohen
Fenster: Alles trägt Helligkeit und Glanz in
sich, kennt keine Schatten, kein Alter, keine Armut. Nur ahnen lassen sich dahinter die Ängste
der Vergänglichkeit.

François Boucher:
Die Rückkehr Dianas von der Jagd, 1745
Öl auf Leinwand, 94 x 132 cm
Paris, Musée Cognacq-Jay

François Boucher: Das Frühstück, 1739 ▷
Öl auf Leinwand, 81,5 x 65,5 cm
Paris, Musée National du Louvre

François Boucher: Ruhendes Mädchen
(Bildnis der Louise O'Murphy), 1752
Öl auf Leinwand, 59 x 73 cm
München, Alte Pinakothek

François Boucher
1703–1770

In den Salonberichten der »Nouvelles Littérai-res« des Jahres 1750 wird Boucher gerügt, weil er »die Frauenköpfe mehr hübsch als schön, mehr kokett als edel« male. Solche Kritik kann man im Porträt der Louise O'Murphy bestätigt sehen, einer jungen Irin, die als Modell bei Bou-cher arbeitete und 1753 für kurze Zeit zur Mä-tresse Ludwigs XV. wurde. Hier wird keine Venus von klassischer Schönheit dargestellt, sondern in herausfordernder Pose die eindeuti-ge erotische Verlockung einer niedlichen Kind-frau präsentiert.

Bei aller Bewunderung, die das zeitgenössi-sche Publikum Boucher entgegenbrachte, mo-nierte es doch des öfteren die Künstlichkeit sei-ner »Porzellanköpfe«, seiner farblich delikaten Interieurs. Auch hier ist das Kolorit von aus-gesuchtem Raffinement, sind die Bildfarben einander angenähert durch ihre gemeinsame Weißgrundigkeit, wodurch eine pudrige, tie-fenlose Oberfläche entsteht. Hier gibt es we-der unergründliche Schatten noch feierliche Hell-Dunkel-Kontraste. Die Weißgrundigkeit nimmt auch der Trias Rot-Gelb-Blau ihren An-spruch, denn sie wird abgeschwächt zu dezen-terem Rosa-Hellgelb-Hellblau. Die unberühr-bar kühle Schönheit wird entthront zugunsten einer hübschen kleinen Kokotte.

Alles scheint vordergründig, wie die Pose der Mätresse, und ist dennoch dem Zugriff des Betrachters entzogen. Der so nahe sich darbie-tende Körper ist nicht wirklich gegenwärtig, sondern durch die Künstlichkeit der Oberflä-che entrückt. Die Bereitwilligkeit und die Reize des Mädchens werden gezeigt als Attribute einer naiven Schönheit, nicht als Appell aus dem Bild heraus. Das Artifizielle des Kolorits betont das Bild als eigentlich hermetische Welt eigener Gesetzlichkeiten. Das träge-reglose Warten gilt nicht dem Betrachter. Der Bild-raum eröffnet uns nur den neidvollen Einblick in einen Raum, dessen Tür verschlossen ist. Und die verhaltene Spannung löst Boucher nicht auf, indem er den Erwarteten auftreten läßt, sondern er steigert sie durch Geschehnis-losigkeit. Keine Person und keine Aktion ste-hen im Wege, um den Verlockungen nachzu-geben, sondern nur die Bildgrenze.

Joseph-Siffred Duplessis
1725–1802

Seine Karriere kam spät, sein Aufstieg als ge-
feierter Porträtist verlief dafür um so rascher.
Auf dem Höhepunkt seines Erfolgs entstanden
in demselben Jahr, 1775, zwei völlig gegensätzliche Werke: ein ganzfiguriges Bildnis des jungen Ludwig XVI., barocker Tradition verhaftet,
repräsentativ und konservativ, und ein halbfi-
guriges des Komponisten Gluck, das zum Inbegriff des vitalen, individuellen Künstlerporträts
werden sollte. Gluck war zu dieser Zeit umju-
belter Mittelpunkt des Pariser Musiklebens,
hatte zusammen mit seinem Librettisten Cal-
zabigi den Sieg über die erstarrte Opera seria
errungen und in seinen Reformopern wie »Orpheus und Eurydike«, »Alceste« oder »Iphige-
nie in Aulis« neue Dimensionen seelischen
Ausdrucks in das totgeglaubte Musiktheater
eingebracht.

In gewisser Hinsicht verfährt Duplessis
analog dazu, belebt ein klassisch-kanonisches
Muster, erfüllt die traditionelle Form eines
Halbfigurenporträts mit neuem Inhalt. Die Nähe zum Wort, die für Glucks Musik so bedeu-
tend ist, hat hier ihre Entsprechung in einem
Wörtlichnehmen der Persönlichkeit, die durch
keinerlei Idealisierung entzogen wird, sondern
ihre Lebensnähe aus einer gnadenlos genauen
Wiedergabe bezieht: Das ältliche, pockennar-
bige Gesicht des Komponisten ist lauschend
nach oben gewendet, einzig durch den Glanz
des inspirierten Augenblicks erhellt.

Joseph-Siffred
Duplessis: Christoph
Willibald Gluck am
Spinett, 1775
Öl auf Leinwand,
99,5 x 80,5 cm
Wien, Kunsthistorisches
Museum

Maurice Quentin de La Tour
1704–1788

Als La Tour dieses Bildnis von sich zeichnet –
das Pastell wird mit Kreiden hergestellt und ist
daher keine wirklich malerische Technik –, ist
er längst einer der gesuchtesten Porträtisten
seiner Zeit. Trotzdem verzichtet er auf jede Art
selbstbewußten Anspruchs, auf Würdemotive
und feierliche Steigerung. Der intime Charakter des Pastells, das kaum Großformate und
keine pathetischen Hell-Dunkel-Kontraste
kennt, wird noch verstärkt durch die lockere
Haltung des Dargestellten, der dem Betrachter
scheinbar verbindlich zulächelt.

Doch bei etwas längerem Hinsehen ver-
schiebt sich der Gesichtsausdruck des Malers
in Richtung auf eine überlegene, verhaltene
Ironie, das vermeintlich Offene seiner Haltung
wird als undurchdringlich spürbar. Die kühle,
vom Blau bestimmte Farbigkeit des Bildes
schließt den Maler in eine hermetische Welt erlesener Künstlichkeit ein, die an keiner Stelle
angreifbar ist, die keinen Zutritt gewährt. Die
Helligkeit ist nicht lichthaltig, sie ist in einer
eigentümlichen Weise statisch, unabhängig
von veränderten Beleuchtungsverhältnissen,
und nimmt so das Momentane der frischen,
spontanen Zeichnung zurück. Das Material
der Pastellkreide stellt nicht den Puder der Perücke dar, es ist der Puderstaub, ihr stumpfer,
matter Schimmer ist der des Samtes. Distanz
und Intimität – in La Tours Pastellkunst wird
beides zugleich anschaulich gemacht.

Maurice Quentin
de La Tour:
Selbstbildnis, 1751
Pastell, 64,5 x 53 cm
Amiens, Musée de
Picardie

Jean-Honoré Fragonard
1732–1806

Jean-Honoré Fragonard:
Das Blindekuh-Spiel,
um 1760
Öl auf Leinwand,
114 x 90 cm
Toledo (Ohio), Museum
of Art

Jean-Honoré Fragonard:
Die Musikstunde,
um 1770–1772
Öl auf Leinwand,
110 x 120 cm
Paris, Musée National
du Louvre
▽

Die zentrale Gestalt des Bildes ist ein junges Mädchen im Kostüm einer Schäferin, das mit verbundenen Augen jemanden zu erhaschen versucht. Unter seiner weißen Augenbinde jedoch lugt es heraus. Und das ist der Angelpunkt des Bildsinns. So wie sich hier das Spiel nur als Vorwand erotischer Koketterie erweist, ist die gesamte Bildwelt zweideutig. Ist es ein Kind, ist es eine Frau, die hier einen so raffinierten kleinen Schwindel betreibt? Ist sie eine Schäferin, ihr Spielgefährte ein Schäfer, oder ist es nicht vielmehr ein Paar aus besten Kreisen, das in ländlicher Verkleidung und »unschuldigem« Blindekuhspiel den Reiz, den Kitzel des Flirts zu erhöhen trachtet? Sind es Kinder oder Amoretten, die am Boden sich verbergen und die Suchenden narren? Ist es Natur oder Bühne, wo sie sich aufhalten, sind Topf und Krug Gebrauchsgegenstände oder Requisiten?

Die Grenzen zwischen den Realitätsebenen scheinen hier aufgehoben. Lüge und Wahrheit, Mythologie und Alltagsbelustigung, bukolisches Leben und Theater werden in einer künstlichen Natürlichkeit, in einer natürlichen Künstlichkeit zu einer beschwörend schönen Einheit verschmolzen. Und diese Schönheit hat zugleich etwas ungemein Flüchtiges, sie kennt kein Ziel, keinen Zweck. Die Suchende sucht nicht, um zu fangen oder zu finden. In ihren anmutig ausgebreiteten Armen hält sie nichts als die amouröse Atmosphäre eines langen Augenblicks.

Die Tradition der barocken Sinne-Allegorien ist zu Ende. Die Gelegenheit, wie dieser Bildvorwurf sie bietet, wird ausgeschlagen. An die Stelle klar begrenzter Aussagen, konturierter und übersetzbarer Wörter einer Bildsprache, tritt die Suggestion des Verunklärten, das sich begrifflicher Fixierung entzieht. Die Hingabe, mit der das junge Mädchen sich der Musik widmet, den Tönen preisgibt, ist in nichts zu unterscheiden von der Hingabe, die in den Blicken des Lehrers liegt und die den Reizen ihres zarten Dekolletés gilt. Das Entgrenzende aller Hingabe, wie es in dem verschwimmenden Kolorit seine formale Entsprechung findet, ist wesentlicher als die jeweiligen Gegenstände, der sie gilt. Das Vagante als Kennzeichen des Eros bleibt nicht auf ihn beschränkt, sondern erfaßt alle Sinne gleichermaßen. Es negiert die Grenzen des Alters, der Tageszeiten, der Räumlichkeiten. Die Katze auf dem Stuhl ist kein Symbol dafür, aber Indiz eines solchen Bildsinns; sie ist sinnlich und zärtlichkeitsbedürftig, aber sie entzieht sich der Kontrolle. Sie schweift durch ihr Revier zu jeder Tag- und Nachtzeit. Wie der Eros ist sie rastlos auf der Suche nach Erfüllung ihrer Sehnsüchte.

Fragonard macht dieses Bild nicht zu einem Bild der fünf Sinne, sondern der Sinnlichkeiten. Er läßt das Erotische zur treibenden und gestalterischen Kraft werden. Die Flüchtigkeit sinnlichen Erlebens – des Hörens, Sehens, Fühlens – ist nicht Anlaß vanitärer Ermahnungen. In der Tiefe der Hingabe wird die Zeit überwunden. In der Dichte aller Empfindungen scheint die Hoffnung einer panischen Lebenssucht ihr Ziel gefunden zu haben.

Im »Geraubten Hemd«, das nach Fragonards Italienreise entstand, als er sich in Paris aufhielt und am gesellschaftlichen und künstlerischen Leben der Metropole teilnahm, macht der Maler den Betrachter zum Voyeur; er macht ihn zum Belauscher einer intimen Szene, einer sich unbeobachtet wähnenden Schönen. Er zeigt sie in ihrem Bett, das zum Bildhintergrund hin durch einen roten Baldachinvorhang verhüllt ist. Und eben dieser Hintergrund des Bildes ist die Vorderseite der Szene, die sich so eigentlich neugierigen Blicken entzieht. Der Betrachter wird von Fragonard solchermaßen hinter dem Bett versteckt, er sieht die »Kehrseite« der Situation im wahrsten Sinn des Wortes. Aber nachdem er sich nun der Indiskretion schuldig gemacht hat, nimmt Fragonard die erotische Direktheit wieder zurück. Er malt über das rosige junge Mädchen mit dem blauen Bändchen im Haar einen Putto, der ihr Hemd entführt. Der Putto ist ein Attribut der Venus. Doch Venus trägt kein Hemd, bindet ihr Haar nicht mit blauem Band achtlos zusammen, ist keine frische Landschönheit.

Die Doppeltheit des Bildvorwurfs, die Zweiansichtigkeit der Szene, das Spiel mit Verbergen und Enthüllen haben in den Bildmitteln ihre Entsprechung. Die sinnlichen Reize des schimmernden rosigen Fleisches werden von innen her durch stumpfes Puderweiß durchdrungen, dessen Mattigkeit das Bild als Bild betont, das Gesehene als Gemaltes zeigt, die Oberfläche des Bildes zwischen die Verlockungen der Venus-Kindfrau und den Zugriff des Betrachters schiebt.

Jean-Honoré Fragonard:
La Chemise enlevée
(Das geraubte Hemd), um 1767–1772
Öl auf Leinwand, 36,5 x 43 cm
Paris, Musée National du Louvre

Jean-Baptiste Siméon Chardin 1699–1779

Vincent van Gogh schrieb 1885 an seinen Bruder Theo, er sei »mehr und mehr davon überzeugt, daß echte Maler ihre Bilder nicht vollenden in dem Sinn, den man oft der Vollendung gibt, jener Vollendung, die so weit getrieben ist, daß die Dinge greifbar werden«. Diese hohe Kunst, die Bildgegenstände dem optischen Zugriff zu entziehen, sieht er insbesondere bei Chardin vorgeführt. Vor dem »Kind mit dem Kreisel« wird deutlich, was van Gogh damit meint, und fühlbar, was Chardin damit bewirkt.

Räumlich nahe, an einem bis an den Bildrand vorgerückten Tisch, steht ein Junge und beobachtet den Kreisel, den er in Schwung gesetzt hat. Die Situation ist alltäglich und vertraut, die Aktion des Kreiseldrehens schnell und flüchtig, die Szene ist dem Betrachter in jeder Hinsicht »nah«. Trotzdem aber ist nichts »greifbar«, denn das Momentane und Nahe sind zurückgenommen, was ebenso mit maltechnischen Mitteln wie dem stumpfen Farbauftrag erreicht wird als auch mit Möglichkeiten der Komposition. Indem Chardin den Knaben nur im Profil und nicht dem Betrachter zugewendet zeigt, betont er dessen Konzentration: Er ist völlig ins Spiel versunken und damit dem Zuschauer, den er gar nicht bemerkt, ebenfalls entzogen. Ruhe, Stille, zufriedenes Kinderglück strahlt dieses Bild aus – eine paradiesische Welt, die man nur leise besehen, aber nicht be-greifen kann.

Jean-Baptiste Siméon Chardin: Das Kind mit dem Kreisel, 1738
Öl auf Leinwand, 67 x 76 cm. Paris, Musée National du Louvre

Jean-Baptiste Siméon Chardin:
Stilleben mit Tabakspfeife, um 1755
Öl auf Leinwand, 32,5 x 40 cm
Paris, Musée National du Louvre

Jean-Baptiste Siméon Chardin 1699–1779

Das Bild macht deutlich, warum Chardin seinen Ruhm vor allem dem Stilleben verdankt. Doch ist er in diesem Genre weniger den Niederländern des 17. Jahrhunderts verpflichtet als einer genuin französischen Tradition. Dort nämlich finden sich jene Merkmale, die für Chardin bezeichnend sind. Die matte, »verschleierte« Farbqualität, das stetige, auf jeden extremen Glanz verzichtende Licht und eine eher mit den Bildgegenständen identische Inhaltlichkeit. Ein einfacher Krug, ein Trinkgefäß mit Deckel, ein aufgeklappter Holzkasten, die helle Tonpfeife daneben – Gegenstände, die auf symbolischen Anspruch ebenso verzichten wie auf jede Erlesenheit oder Delikatesse. Die Komposition wirkt zufällig, hat keine Pointe, keinen Höhe- und Mittelpunkt im Bereich des Farblichen oder der Beleuchtung. Und doch empfindet man vor diesem Bild harmonische Vollkommenheit.

Ein zeitgenössischer Kunstkenner hat ihn als »französischen Teniers« bezeichnet. Und wirklich läßt uns dieses Interieur Chardins an Innenräume jener Zeit denken, vielleicht noch mehr an Bilder des Holländers Pieter de Hooch. Licht und Farbe sind verhalten, nichts ist jäh oder plötzlich. Auch die Bewegungen sind langsam, ja, das Bild scheint förmlich einen Augenblick des Innehaltens einzufangen. Die Ausstattung des Raumes ist bescheiden, an der Wand nur ein Bord mit Flaschen und einer irdenen Schale, darunter eine kupferne Kasserolle, der Tisch mit schlichtem weißen Tuch bedeckt. Und diesem Bezugssystem sind die drei Personen völlig eingeordnet. Keiner ihrer Blicke entweicht dem fensterlosen Bildraum – die ungestörte Stille eines geschlossenen Mikrokosmos bietet sich uns dar.

Denkt man an Maler wie Fragonard oder Boucher, so entzieht sich dieses Bild unserer Vorstellung vom Rokoko. Sieht man jedoch in einem Phänomen wie der bewußten Verdrängung und Kompensation endzeitlicher Ängste einen grundlegenden Wesenszug des Rokoko, so gehört auch die »Rübenputzerin« dazu. Der Bezug zu niederländischen Küchenstücken entpuppt sich rasch als äußerlich, als ein »à la mode«, das sich auf die Wahl der Requisiten und des von Braun bestimmten Kolorits beschränkt. Auch wäre es falsch, der Szene eine allegorische Aussage zu unterstellen. Sie zeigt nur eine Küchenmagd in einem unbestimmten Raum, die in ihrer Arbeit innehält. Ihre Miene verrät weder Trauer noch Freude, ihr Blick ist ziellos, ohne verloren zu sein. Der Bildraum, der zunächst als festumgrenzt erscheint, erweist sich als ein Nirgendwo, dessen Geborgenheit nur durch eine innere Ganzheit entsteht. Der Augenblick zufriedenen Ausruhens wird zu einer zeitentbundenen Ewigkeit, hinter der sich ein Refugium vor Angst und Vergänglichkeit verborgen hält.

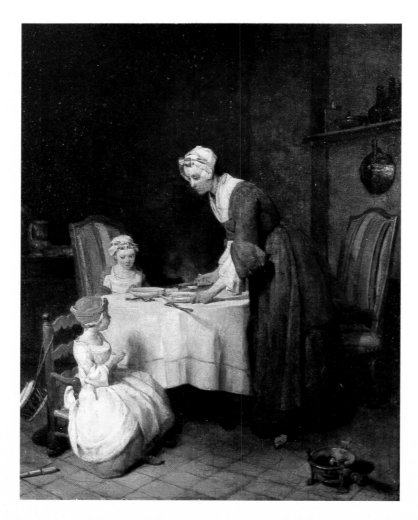

Jean-Baptiste Siméon Chardin:
Das Tischgebet, 1739
Öl auf Leinwand,
49,5 x 38,5 cm
Paris, Musée National du Louvre

Jean-Baptiste Siméon Chardin: ▷
Die Rübenputzerin, 1738
Öl auf Leinwand, 46 x 37,5 cm
Washington, National Gallery of Art

FRANKREICH

Jean-Baptiste Greuze
1725–1805

Jean-Baptiste Greuze:
Die Klagen der Uhr, um 1775
Öl auf Leinwand, 79 x 61 cm
München, Alte Pinakothek

»Laßt in der Malerei die Moral sprechen«, so forderte der große Kritiker Denis Diderot im Jahre 1763 emphatisch und sah diesen Wunsch im Werk von Greuze entsprochen. Heute sieht man, gerade in einem Bild wie »Die Klagen der Uhr«, eine nur mit dem dünnen Schleier moralischer Scheinheiligkeit bedeckte erotische Delikatesse.

Dieser Widerspruch löst sich auf, wenn man den Moralbegriff Diderots richtig interpretiert. Er postulierte keinen totalen Verzicht auf die Darstellung sinnlicher Reize, sondern verlangte nach einem Bildsinn, einer Aussage, die sich nicht auf die Selbstdarstellung des Erotischen beschränkt, wie es ein Fragonard so vollendet beherrschte. Die Kenntnis holländischer und flämischer Stichwerke vermittelte Greuze das ikonographische Vokabular, aus dem er seine Bilderzählungen aufbaute. Die Uhr in der Hand der kindlich-mädchenhaften Gestalt verweist als traditionelles Vergänglichkeitssymbol auf die Flüchtigkeit und Unbeständigkeit eines genossenen Liebesvergnügens, das solchermaßen als falsches Glück gekennzeichnet wird. Die Leistung von Greuze besteht darin, den ansprechenden Reiz der halb entblößten Brüstchen zum »Aufhänger« der Bildlegende zu machen, die das zerwühlte Bett, das gelockerte Mieder, die achtlos zur Seite gestellte Handarbeit, die verstreuten Gürtel und Bänder, die abgelegte Haube und vor allem der Brief – ein Abschiedsbrief des Liebhabers – erzählen.

Jean-Baptiste Greuze:
Die Dorfbraut, 1761
Öl auf Leinwand, 90 x 118 cm
Paris, Musée National du Louvre

Als »Die Dorfbraut« 1761 im Salon ausgestellt wurde, erntete Greuze Lobeshymnen von Kritik und Publikum. Mit seinem Gemälde der zaghaften jungen Braut, die mit niedergeschlagenen Augen am Arm ihres Bräutigams hängt, der bei den greisen Eltern um ihre Hand anhält, hatte er eine ethische Lücke im Zeitgeschmack gefüllt. Der anrührende Ernst in den Gesichtern von Brautpaar, Eltern, Notar, Kindern, Verwandten und Freunden, die reinliche Einfachheit, die fromme Ärmlichkeit und unverdorbene Schüchternheit in dieser Situation formulierten ein neues Ideal. Der elitären Arkadien-Idylle, der erotischen Schäferszenen-Idylle wurde nun etwas Neues entgegengestellt: das sentimentale Familiengenre. Die Schlagworte des einfachen Glücks, der trauten Geborgenheit und der freudigen Rührung, ohne die das 19. Jahrhundert keine »Gartenlaube« hervorgebracht hätte, haben hier ihren Ursprung.

Und doch ist dieses Sittenbild dem 18. Jahrhundert verhaftet, denn es wird getragen von einem Pathos, das nur aus dem direkten Widerspruch zu dem unpathetischen Rokoko eines Pater, Lancret, Drouais oder Boucher verstehbar ist. Das Erzählende und Nacherzählbare dieser Szene ist die Basis der ungeheuren Popularität, die dieses Bild erlebte, und ist zugleich Vorzeichen einer Suche nach neuen bürgerlichen Idealen. Die leisen Töne zarter Empfindungen werden verbunden mit der Theatralik einer Schlußszene in einem gelungenen Rührstück.

Hubert Robert
1733–1808

Die Ruinenbilder Panninis und Piranesis hatten schon früh ihre Spuren in den Architekturbildern Roberts hinterlassen. Daß er jedoch von Fragonard gelernt hatte, mit dem zusammen er Neapel und Rom bereiste und in Tivoli arbeitete, scheint in einem späten Werk wie diesem, das 1789 im Pariser Salon ausgestellt wurde, ebensowenig ersichtlich wie in früheren. Und doch wird indirekt etwas vom Geist Fragonards spürbar.

Die riesenhafte ruinöse Architektur mit geborstenen Gesimsen, der gegenüber die Menschen klein und ohne Bezug wirken, ist kein düsteres Mahnmal, kein Sinnbild der Vergänglichkeit, kein Monument bedrohlicher Schatten. Sie ist Lebensraum, der mit völliger Selbstverständlichkeit genutzt wird, in dem man Fische feilhält, brät, handelt, spielt, arbeitet. Oben auf die einstmals so majestätische Architektur hat man respektlos ein Geländer gesetzt, damit sie als Aussichtsturm für Schaulustige, Refugium für turtelnde Liebespaare, bequeme Abkürzung für eilige Passanten dienen kann. Die Zeugnisse der Vergangenheit, die Robert so detailgetreu porträtiert, sind Teil eines regen Lebens. In eben dieser Zweiheit von Moment und Dauer, von Ereignis und monumentaler Unbewegtheit, von Leben und Verfall, flüchtigem Zufall und Geschichtlichkeit erweist sich Robert als Schüler Fragonards.

Hubert Robert:
Die Pforte der Oktavia in Rom
Öl auf Leinwand, 161 x 117 cm
Poughkeepsie (N.Y.), Vassar
College Art Gallery

Elisabeth Vigée-Lebrun
1755–1842

Madame de Staël, Tochter des französischen Finanzministers Necker, gelangte durch einen bewegten Lebenswandel und vor allem zwei literarische Werke zu Berühmtheit: »De l'Allemagne« (1810), ein Bild Deutschlands, seiner Sitten, Literatur und Philosophie, und durch den Roman »Corinne ou l'Italie« (1807). In diesem Opus, das auf eine Italienreise zurückgeht, die sie, von Napoleon aus Paris verbannt, in Begleitung von August Wilhelm Schlegel unternommen hatte, schildert sie in schwärmerischem Ton ihre Eindrücke durch den Mund der fiktiven italienischen Dichterin Corinne. Vigée-Lebrun stellt sie in der Rolle dieser Dichterin und zugleich im antikischen Gewand dar, mit einer Lyra auf dem Schoß, als weiblichen Orpheus.

Hinter der Gestalt erstreckt sich eine Landschaft, die auf felsiger Höhe einen antiken Monopteros zeigt und sich in der Tiefe in sanfte grüne Hügel und ferne blaue Bergrücken verliert. Die Begriffe des Klassischen und des Romantischen, die Madame de Staël als eine der ersten im heutigen Wortsinn verwendete, haben ihr Korrelat in diesen beiden Landschaftscharakteren. Der idealisierenden Glätte, die vielen Porträts der Malerin anhaftet, steht hier die vitale Kraft des Gesichts entgegen: eine reife, selbstbewußt-energische Frau voll wacher Intelligenz, die mit der Rolle glühender Schwärmerei keineswegs identisch ist.

Elisabeth Vigée-Lebrun: Bildnis der Madame de Staël als Corinne, um 1807/08
Öl auf Leinwand, 140 x 118 cm. Genf, Musée d'Art et d'Histoire

Du 13 juillet 1793.
Marie anne Charlotte
Corday au citoyen
Marat.
il suffit que je sois
bien Malheureuse
pour avoir Droit
a votre bienveillance.

À MARAT,
DAVID.

Jacques-Louis David
1748–1825

Am 12. Juli 1793 wurde David zu seinem jako-
binischen Parteigenossen Marat gerufen. »Ich
fand ihn«, berichtet er, »in einer Lage, die mich
selbst überraschte. Neben ihm stand ein Holzklotz, auf dem sich ein Tintenfaß und Papier be-
fanden, und seine Hand notierte vom Bad aus
seine letzten Gedanken zum Wohle des Volkes.« Am Tag darauf wurde Marat von Charlotte Corday ermordet und David vom Konvent
beauftragt, ihn in einem Bild zu verewigen.
Dort begegnet er uns in eben dieser Situation.
Die Feder ist seiner Hand entglitten, der Kopf
zur Seite gesunken. In der Linken hält der Tote
noch das heuchlerische Gesuch der Bittstelle-
rin, auf dem Holzklotz liegt das Schreiben eines
anonymen Wohltäters, am Boden die Waffe
der Mörderin. Die Szene scheint zunächst allzu
privat für ein offizielles Memoralbild zu sein.
Doch bei näherer Betrachtung wirkt das streng
komponierte Bild wie ein propagandistisches
Denkmal: Der Holzklotz mit knapper Inschrift
ist zum Grabstein geworden, die Wanne, in der
der Tote sitzt, zu seinem Sarg.

Als David den »Horatierschwur« 1784 in Rom
vollendete, wurde sein Atelier zum Zeil wahrer
Wallfahrten. Aber nicht das historische Thema
und die fast archäologische Detailtreue erklä-
ren den triumphalen Erfolg, sondern die Ein-
dringlichkeit des Bildaufbaus. Jedem der antiken Rundbogen ist eine Figurengruppe zugeordnet: rechts die klagenden Frauen, links
die drei jungen Horatier, die Rechte zum
Schwur erhoben, und in der Mitte der Vater,
der mit einem Bittgestus die Schwerter empor-
hält im Augenblick vor der Schlacht. Effektvol-
le Choreographie und Lichtregie konzentrie-
ren alle Energie auf den Schwur, alles kulmi-
niert in der Mitte des Bildes. Tatendrang, Ent-
schlossenheit und Einigkeit sind von so intensi-
ver moralischer Suggestion, daß das Leiden daneben zur Nebensächlichkeit verblaßt.

Madame Récamier unterhielt in Paris einen Salon, in dem sich die Gegner einer antinapoleo-
nischen, restaurativen Politik trafen. Als David
sie malt, ist sie 23 Jahre alt und nimmt ihm gegenüber, dem ehemals aktiven Jakobiner, der
jetzt Napoleons Hofmaler ist, eine politisch
konträre Position ein. Dennoch stellt er sie dar,
als wäre sie eine Heldin der Republik oder Pro-
tagonistin des Kaiserreichs.

In antikischer Pose lagert sie auf einem Möbel, das seit diesem Bild als »Récamière« bezeichnet wird. Sie ist ungeschmückt, trägt ein
schlichtes weißes Kleid und ist barfüßig. Auch
der Raum enthält nur eine Fußbank und einen
Kandelaber, jedoch keinerlei herrschaftliche
Requisiten. Trotzdem bleibt sie erkennbar als
Dame der Gesellschaft, wirkt vornehm, distan-
ziert und keineswegs volksnah. Das einfache
Gewand, die schlichte Frisur, die nackten Füße
– einst Attribute einer revolutionären Haltung
– sind nur noch eine Mode.

Jacques-Louis David:
Der Schwur der Horatier, 1784
Öl auf Leinwand, 330 x 425 cm
Paris, Musée National du Louvre

◁ Jacques-Louis David:
Der Tod des Marat, 1793
Öl auf Leinwand, 165 x 128 cm
Brüssel, Musées Royaux des Beaux-Arts

Jacques-Louis David:
Madame Récamier, 1800
Öl auf Leinwand, 173 x 243 cm
Paris, Musée National du Louvre

FRANKREICH

Alessandro Magnasco:
Seelandschaft mit
netzziehenden Fischern
und badenden Figuren
Öl auf Leinwand,
115 x 92 cm
Venedig, Sammlung Brass

Alessandro Magnasco
1667–1749

Auch wenn vielleicht der Impressionismus unser Interesse an einem Bild wie diesem wiedererweckt hat, so ist es doch in keiner Weise impressionistisch. Die »Macchia«, das Fleckige der Malweise, ist hier Ausdrucksmittel des Phantastischen und hat vielleicht am ehesten in den Werken Salvator Rosas ihre Vorbilder. Die schnell, fast skizzenhaft gemalte Gischt, die zerrissen-unkonturierten Bäume und Felsen an der bewegten Küste, die jähen Wolkenfetzen vermitteln eine fiebrig-unruhige Vorgewitterstimmung. Auch die halbnackten Fischer, die Kahn und Fang in Sicherheit zu bringen suchen, sind dieser angespannten Erwartung unterworfen. Wir sehen sie nicht als Individuen, nicht einmal als anonyme Einzelakteure, sondern als Teil dieses aufgewühlten Treibens und Getriebenseins.

Magnasco begrenzt nichts deutlich, grenzt nichts ab. Himmel, Erde, Wasser, Menschen und Vegetation greifen ineinander. Sie scheinen von innen her aufgelöst zu sein, haben keine dezidierten Umrisse mehr, verfließen, zerfallen. Indem Magnasco dem Auge des Betrachters keine Ruhe gönnt, gelingt es ihm, diese Unrast als etwas Elementares, Ungeheuerliches, Geheimnisvolles zu suggerieren. Es ist nicht eine Episode, deren Ende abzusehen ist, sondern eine haltlose Erregung. Die Komposition bildet keine Zentren, keine Schwerpunkte aus, sie verweilt nirgends und ist nirgends fixiert. Das Phantastische bedient sich hier nicht mehr einzelner Versatzstücke, die einer Umwandlung und Verfremdung unterzogen werden, sondern hat seine vollkommen eigene Form gefunden.

In der Ruine eines antiken Gebäudes ist in unwirklicher Nächtlichkeit ein wildes Gelichter zusammengekommen: vorn in Rückenansicht ein heruntergekommener Landsknecht, auf dem faulig-morschen Bretterboden der »Bühne« eine greise Mutter mit häßlichen gnomigen Kindern, hinter ihr eine Gestalt mit befremdlich feierlicher karminroter Toga, davor auf einer halben Tonne sitzend ein nur halbbekleideter Mann, der, einen Zettel in der Hand, dem Raben auf dem Weinfaß einen Text vordeklamiert. Um das Weinfaß scharen sich weitere zerlumpte Kinderzwerge.

Es handelt sich um eine Genreszene. Doch so, wie alle Requisiten umgestürzt, zerstört, verwest sind, ist auch die Szene das abstruse Verfallsbild der Idylle. Der Rabe auf dem Faß ist als hoheitsvoller Mittelpunkt auf einen Sockel gesetzt, sein Lehrer der Abglanz eines Philosophen, der in dem schwarzen Vogel seinen letzten Schüler findet. Die Feierlichkeit des Rotgewandeten ist nur noch lächerlich-schäbiges Lumpentheater, das genrehafte Mutterglück eine armselige Kinderansammlung. Es ist dies alles die Umkehrung des Traulichen und Beschaulichen, Lehrreichen und Moralischen. Aber zugleich ist die Situation von einer erregenden Vitalität und Spannung, die sie gerade aus dem Nichterfüllen unglaubwürdig gewordener Ideale bezieht.

Alessandro Magnasco:
Der gelehrte Rabe, um 1703–1711
Öl auf Leinwand, 47 x 61 cm
Florenz, Galleria degli Uffizi

Rosalba Carriera
1675–1757

Mit dem Pastell wählte Rosalba Carriera eine Technik, die es ihr möglich machte, ohne prätentiöse Idealisierung dem Dargestellten zu schmeicheln – vielleicht der Grund für ihre erfolgreiche Karriere, die sie ohne eigentlich geniale Anlagen machte. Ihre besten Arbeiten entstanden deshalb gerade dann, wenn die sanfte Gefälligkeit, der liebliche Schmelz des Pastells mit der abgebildeten Person übereinstimmten.

In diesem Mädchenbildnis ist dies der Fall. Das perlmutterne Inkarnat ist in den klassischen Pastelltönen Blau, Rosé und Hellgrau vollendet wiederzugeben, die Tiefenlosigkeit der Farbe gerade geeignet, das noch von Erfahrungen ungezeichnete, fast kindliche Gesicht zu erfassen. Das Pastell kennt die Schatten ebensowenig wie dieses Inbild sorgloser Jugend. Die Weichheit dieser lieblichen Physiognomie findet in den Mitteln der Darstellung ihre ideale Entsprechung. Die Leistung der Carriera besteht aber nun – über die günstigen Gegebenheiten hinaus – darin, daß sie den Gesichtsausdruck diesem Bildcharakter unterordnet, ohne dabei die individuelle Bildung der Physiognomie zu zerstören. Mit sanftem, fast mattem Blick sieht uns das Mädchen an, nur unmerklich lächelt ihr Mund. Alles Erregte, Jähe, Abrupte, was dem Pastell zuwiderläuft, ist vermieden. Die Qualität des Bildes liegt in seiner delikaten Einheitlichkeit.

Rosalba Carriera:
Bildnis eines jungen
Mädchens, nach 1708
Pastell, 36,3 x 30,3 cm
Paris, Musée National
du Louvre

Giovanni Battista Piazzetta
1683–1754

Eine eigene Bildsprache gefunden zu haben, die der Fülle und Not, der Komik und der Trauer, der Heiterkeit und der Düsternis italienischen Lebens gerecht wird: Das ist die Leistung eines Longhi, Magnasco oder Piazzetta, die zur Artifizialität des französischen Genres ein entschiedenes Gegengewicht bringt.

Der junge Bettler hier mit seinen vollen Wangen, dem kräftigen Hals und der noch kindlich-stämmigen Statur richtet keinen schmachtenden Appell an den Betrachter, heischt nicht um Mitleid. Seine aufrechte Haltung, sein unverwandter Blick aus dem Bild haben nichts Devotes, der Rosenkranz in seiner schmutzigen Hand ist kein Requisit heuchlerischer Frömmigkeit, sondern Gegenstand seines alltäglichen Daseins.

Piazzetta läßt die Bildmittel selbst zu Ausdrucksträgern werden. Der Bildgrund und der Mantel sind braun wie die nackte Erde: Armut wird als etwas Elementares deutlich, ist nicht pittoresker Verfall. Vital und kräftig ist das Rot der Weste. Lebendiges südliches Licht ist im Weiß des Ärmels eingefangen, Frische und Sonnengewöhntheit des Jungen in seinem brünetten Inkarnat. Die Identität von Darstellungsweise und Dargestelltem erzeugt keine Rührung – denn diese bedingt immer ein Herausbegehren aus der Zuständlichkeit –, sondern eine Wahrhaftigkeit, die betroffen macht.

Giovanni Battista
Piazzetta: Junger
Bettler, um 1740 (?)
Öl auf Leinwand,
66 x 52 cm
Chicago, Art Institute

Canaletto
1697–1768

Daß Canaletto bereits zu Lebzeiten nicht nur Nachahmer wie Michele Marieschi fand, sondern auch im großen Umfang gefälscht wurde, ist ein schlagender Beweis für die Beliebtheit seiner Bilder. Zu den Käufern der ersten Stunde gehörten vor allem Engländer – Handelsvertreter, Diplomaten, Bildungsreisende auf der obligaten »Grand Tour«. Der Herzog von Bedford bestellte eine Serie von 24 Veduten, John Smith, englischer Konsul in Venedig, orderte 36 Ansichten. 1746 trat Canaletto also mit berechtigter Zuversicht seine erste Englandreise an, von der er erst nach vier erfolg- und arbeitsreichen Jahren zurückkehrte.

Canaletto: Innenhof des Castle of Warwick, 1751
Öl auf Leinwand, 75 x 122 cm
Warwick, Sammlung Duke of Warwick

Der britische Adel begnügte sich nämlich keineswegs damit, seinen kühlen Wohnsitzen mit venezianischen Ansichten den Eindruck südlicher Wärme zu verschaffen, sondern gab heimatliche Vorwürfe in Auftrag. Das detailgenaue, sachlich-distanzierte Porträt, das man seinerzeit von seinem Hund oder Pferd anfertigen ließ, sollte nun auch die eigene Besitzung bildlich festhalten. Und für diese Aufgabe schien der venezianische Gast bestens geeignet. Allein vier Ansichten seines herzoglichen Schlosses, alle aus verschiedenen Blickwinkeln, bestellte der Herzog von Warwick. Noch heute befindet sich der größte Teil von Canalettos Werk in englischen Sammlungen.

In unserem Beispiel gibt Canaletto nicht allein ein sorgfältiges, auf größtmögliche Ähnlichkeit bedachtes Porträt des Anwesens, sondern demonstriert darüber hinaus auch die Beweglichkeit seiner malerischen Mittel: Nördlich-kühles Licht liegt über der symmetrisch ins Bild gesetzten Architektur, Farbe, Licht und Komposition sind vollendet ihrer steifen Strenge angeglichen.

Prozessionen, Feste, Zeremonien, Regatten – schon in den Bildern Gentile Bellinis aus dem 15. Jahrhundert begegnen wir den glanzvollen Inszenierungen der Serenissima. Und Canaletto setzt diese Tradition nicht nur fort, er belebt sie neu, sieht sie durch sein eigenes Temperament und im Gewand seiner Epoche. Ob er die Feierlichkeiten am Himmelfahrtstag, die symbolische Vermählung der Lagunenstadt mit dem Meer schildert oder die Ankunft des Dogen: Es ist nicht mehr die großartige Choreographie, die würdevolle Regelhaftigkeit, die Bellinis Bilder beherrschte.

In diesem Gemälde zeigt er die Vielzahl der einlaufenden Boote auf dem Canal Grande, die Gondoliere in ihrer Tracht, den farbenfrohen Schmuck, das Publikum am Ufer, die Fahnen und Schabracken an Fenstern und Balkonen. Und er zeigt gewissenhaft eine bestimmte Situation Venedigs, von der Ca' Foscari aus gesehen, Palastfassaden, einfache Wohnhäuser, Treppen, Dachbekrönungen, Kamine, Terrassen und dazwischen breit und azurblau den Kanal. Er ist fasziniert von dem Kontrast zwischen dem momentanen Schauspiel, seiner Licht- und Farbenpracht, seiner rauschhaften Gegenwärtigkeit, und der Stadt, die als geschichtsträchtige, ewige, altersweise Persönlichkeit Fest um Fest durch die Jahrhunderte an sich vorüberziehen läßt.

Canaletto: Regatta auf dem Canal Grande, nach 1735
Öl auf Leinwand, 117 x 186 cm
London, National Gallery

Seine erste Ausbildung erhielt Canaletto als Theatermaler in Venedig, bevor er 1719 nach Rom ging und die Bekanntschaft mit dem Ruinenmaler Pannini machte. In diesem frühen Bild spiegeln sich beide Erfahrungen wider. Im vorderen Bildraum sind zwischen marmornen Säulentrommeln, Kapitellen, Fragmenten, unbearbeiteten Gesteinsbrocken und Bruchstükken die Steinmetzen bei der Arbeit, rechts ist eine notdürftig gezimmerte Bretterbude als Arbeitshütte aufgestellt. Im Mittelgrund verläuft ein Kanal, dahinter erheben sich Kirche und Scuola della Carità, mit akribischer Genauigkeit als identifizierbare Bauwerke Venedigs ausgeführt, vor einem seidigen blauen Himmel. Fast scheint es, als seien hier zwei Bilder auf einer Bildfläche zusammengezwungen, ohne aufeinander Bezug zu nehmen: eine eher genrehafte Szenerie, die auf das vorausdeutet, was in den Arbeitsbildern späterer Zeit zum selbständigen Thema werden sollte, und eine venezianische Vedute.

Wenngleich sich Canaletto hier nicht illusionistischer Effekte bedient, profitiert er doch von seiner Theatererfahrung. Die Stadtansicht hält sich, klar aufgebaut, in der Distanz eines Hintergrundprospekts, die Verbindung beider Bildsphären erfolgt durch winzig kleine Personen, die wie anonyme Statisten wirken. Eine Mutter, Kinder, Steinmetzen, Gondolieri und Passanten agieren hier wie dort und lassen so das Ganze als einen zusammenhängenden Handlungsraum erkennen.

Was in diesem Raum geschieht, ist nicht kontinuierlich. Es ist keine nacherzählbare Episode und hat keinen moralisierenden oder dokumentarischen Beispielcharakter. Das Geschehen dient dazu, den Raum zu erfassen, es dient seiner individuellen Kennzeichnung. Durch die auftretenden Personen werden zwei unterschiedliche Bereiche zusammengebunden, die Grenze zwischen ihnen wird »überspielt«. Aber durch diese Gestalten stiftet Canaletto darüber hinaus eine zeitliche Einheit: Die Zeitlichkeit jedes einzelnen Bauwerks, sein jeweiliges Alter, seine Vergangenheit, wird durch die gegenwärtige Aktion einem gemeinsamen Leben eingegliedert. Die Gefahr der Sterilität, der akademisch-nüchternen Ferne einer »veduta ideata« ist hier gebannt. Architektur, Monumentalität, Historizität einer Stadt sind hier nicht als ideale Größen gezeigt, sondern werden in diesem Bild erlebbar. Das flüchtige und unbedeutende Ereignis verhilft dem bebauten und gebauten Raum zu seiner Identität.

Canaletto: Campo San Vitale und Santa Maria della Carità in Venedig (Das Quartier der Steinmetzen), um 1726/27. Öl auf Leinwand, 123,8 x 162,9 cm London, National Gallery

Pietro Longhi
1702–1785

1751 wurde in Venedig ein Rhinozeros zur
Schau gestellt, das zuvor schon in Nürnberg,
Stuttgart und Straßburg bewundert worden
war. Longhi zeigt uns einige Besucher des
Spektakulums auf einer Holzbühne und davor,
ungestört sein Heu fressend, das Rhinozeros.
Doch keiner der Gäste besieht das monströse
Tier. Die elegante Dame im Spitzenumhang
blickt den Bildbetrachter an, ihr düsterer Kavalier schaut, ebenso wie der Lakai zu ihrer Rechten, vor sich hin, der Mann mit Tonpfeife am
Bildrand brütet gedankenverloren, die Frau im
grünen Umschlagtuch blickt auf die andere
Seite, und ihre Nachbarin sieht unbewegt
durch eine schwarze Larve aus dem Bild. Nicht
einmal das kleine Mädchen zeigt Anzeichen
des Staunens. Alle sind wie erstarrt in vermeint-
licher Lebendigkeit, unwirklich hinter Maske
und Physiognomie.
 Sie wirken wie Zitate eines venezianischen
Lebens, das nicht mehr in ihnen ist, sondern
nur noch von ihnen vorgeführt wird. Und vor
dieser schweigenden Teilnahmslosigkeit steht
das Rhinozeros, schwer, dumpf und einfältig,
mit einer gewissen Naivität gemalt und durch
ein Plakat an der Wand ausgewiesen als »Vero
Ritratto di un Rinoceronte«. Ein »wahres Porträt« dieses Tieres, das in seiner Fremdartigkeit
das einzig Wirkliche ist. Die vertraute venezianische Alltagswelt dahinter jedoch ist das
eigentlich Fremde geworden, weil sie nur noch
Hülle, Kostüm, Larve, Schatten der Wirklichkeit ist, in die sie nicht eimal mehr das Staunen
zurückholen kann.

Die Beziehung der Kunst Longhis zur Thea-
terdichtung seines Zeitgenossen Carlo Goldoni wurde stets betont. Wie diese Verwandtschaft anschaulich wird, zeigt unser Beispiel.
Die Commedia dell'arte, die italienische Steg-
reifkomödie, war mehr und mehr erstarrt in
leeren Floskeln und hatte ihren ursprünglichen
Charakter – die volkstümlich-alltagssprachli-
che Improvisation nach festen Typen – fast völlig eingebüßt. Goldoni belebt sie neu, indem er
die kleinen und großen Schwächen seiner Mit-
menschen auf die Bühne bringt. An diese Aus-
drucksmöglichkeit knüpft Longhi im venezianischen Genre an.
 Eine alltägliche Straßenszene wird zur
Bühne. Der Zahnzieher auf dem Podest impro-
visiert seinen Rollentext zum Kundenfang. Zu
seinen Füßen hockt ein Patient, mitleidsvoll
von einer Passantin betrachtet, deren Begleite-
rin fasziniert den Worten des Wunderdoktors
folgt. Eifrig beteiligen sich drei Gassenjungen
an der Vorstellung, von deren Attraktion die
Zwergin vorn profitiert. Düster, starr und zeremoniell sind in diese Szene zwei maskierte Paa-
re gesetzt, Repräsentanten einer ganz anderen
Sphäre. So wie die Komödie Goldonis ihren
Witz, ihre Hintergründigkeit und Vitalität aus
dem Kontrast vorgegebener Charakterschema-
ta und deren beweglicher Belebung bezieht, so erhält auch Longhis Bild seinen Sinn
durch das Gegensätzliche. Zeremoniell und
Alltagssituation, Tradition und Gegenwart,
Reichtum und Armut werden vereinbar in der
Aura des Theaters.

Pietro Longhi:
Das Rhinozeros, um 1751
Öl auf Leinwand,
62 x 50 cm
Venedig, Ca' Rezzonico

Pietro Longhi:
Der Zahnzieher, um 1746–1752
Öl auf Leinwand, 50 x 62 cm
Mailand, Pinacoteca di Brera

Francesco Guardi
1712–1793

Großfürst Paul Petrowitsch, der spätere Zar Paul I., und seine Gemahlin Maria Fjodorowna trafen im Januar 1782 in Venedig ein : willkommener Anlaß für die festfreudige Serenissima, eine Reihe glanzvoller Feierlichkeiten und Spektakel zu veranstalten. Den greisen Guardi beauftragte man, die Chronik dieser Tage zu malen: den Ball im Teatro di San Benedetto, den Festaufzug auf dem Markusplatz, Regatta, Stierkampf und Bankett. Willkommener Anlaß auch für den Künstler. Sowenig er sich in seinen einzigartigen Zeichnungen mit dem bebenden, bewegten, kühnen Strich der detailgenauen Wiedergabe von Palästen, Türmen, Obelisken oder Figuren verpflichtet fühlt, sowenig ist er auch Chronist im Sinne des gewissenhaften Datensammlers.

Das Galakonzert im Philharmonischen Saal der Alten Prokuratien mit Damenchor und Damenorchester auf der Tribüne, die schimmernden Seidenroben im warmen Kerzenlicht, die glitzernden Lüster, die blanken Spiegel, das Zinnoberrot des Bodens verschwimmen in einem Bild heiterer Verzauberung. Die Zeitenthobenheit des Festes, seine sorglose Daseinsfreude legitimieren Guardis Malerei. Wir können weder den Großfürsten

noch seine Gattin ausmachen, denn er porträtiert keine einzige Physiognomie. Im Fest werden die Konturen aller Individualitäten, die Faktizität alles Zeitlichen aufgelöst. An die Stelle strengen Reglements, wie es die barocken Festordnungen kennzeichnete, ist das Unzeremonielle getreten; es gibt keine hierarchischen Platzzuweisungen mehr, sondern nur noch eine Choreographie des Zufalls.

Hatte man früher die Feierlichkeit des Festes durch Kontraste und Unterschiede hergestellt, indem dem Reichen das weniger Reiche, dem Prächtigen das weniger Prächtige, dem Hochstehenden das weniger Hochstehende gegenübergesetzt wurde, gewinnt das Fest seine Ausstrahlung nun gerade aus der Unauflösbarkeit. Das Fest ist ein Gesamtkunstwerk aus Gattungen, die nicht mehr voneinander zu trennen sind.

In Guardis Bild verleiht das Licht keiner der Personen bevorzugten Glanz, sondern ist diffus. Auch gibt es keine koloristischen Akzente, die der Hervorhebung eines einzelnen dienen würden. In der Entgrenzung des Individuums und der sinnlichen Wahrnehmung erkennt man eine geeignete Technik, dem Wirklichkeitsbewußtsein zu entkommen. Das Bild Guardis vollzieht mit den Bildmitteln diese Illusion erweiterten Daseins nach, durch die man sich für ein paar Stunden unsterblich wähnt.

Francesco Guardi:
Venezianisches Galakonzert, 1782
Öl auf Leinwand, 67,7 x 90,5 cm
München, Alte Pinakothek

Francesco Guardi
1712–1793

Schon bald nach seinem Tod geriet Guardi in Vergessenheit; vielleicht ist seine Wiederentdeckung wirklich zu einem Teil der Sehweise zu verdanken, die uns die Impressionisten gelehrt haben. Guardis Werk jedoch mit dem Begriff »impressionistisch« zu belegen ist nicht nur ein stilgeschichtlicher Anachronismus, sondern anschaulich unrichtig. Während der impressionistische Maler vor der Natur versucht, die Unwiederholbarkeit und Individualität eines optischen Erlebnisses darzustellen, und die Gegenstände dabei nur zur Reflexion der Licht- und Farbwahrnehmung dienen, verfährt Guardi genau umgekehrt.

Auch in diesem »Capriccio« – was wörtlich »Laune« bedeutet – stellt er die Gegenstandswelt seines Bildes aus einzelnen Versatzstükken zusammen, baut gewissermaßen seine Bildwelt aus Einzelbestandteilen zusammen, die er nach Gesichtspunkten ihres Assoziationsgehaltes auswählt: die Melancholie ruinöser Architektur, das Heitere geschäftiger Arbeiter, das Sakral-Vornehme eines überkuppelten Rundbaus, der seitliche Schatten für Heimlichkeiten, die steinerne Vase, die beschädigte Büste für das wehmütige Erinnern an die Pracht gewesener Gärten. Hier wird nicht Gesehenes in subjektiver Brechung gezeigt, sondern eine subjektive Laune, die sich die Objekte ihrer bildlichen Verwirklichung ausgesucht hat.

Francesco Guardi: Capriccio
Öl auf Leinwand, 94 x 133 cm
Mailand, Sammlung Crespi

Bernardo Bellotto
1721–1780

Er trug denselben Beinamen wie sein Onkel Canaletto, hatte bei ihm gelernt und arbeitete sein Leben lang in demselben Fach; trotzdem entwickelte er rasch sein künstlerisches Profil, das ihn unschwer von seinem Onkel unterscheidbar macht. In jungen Jahren besteht Bellottos Eigenart primär in der Anreicherung der Veduten durch intensive Stimmungswerte, sei es die leise Melancholie eines bewölkten Himmels, sei es die magische Beleuchtung der untergehenden Sonne oder die Stille eines aufziehenden Gewitters. Später, als sich sein Lebensschwerpunkt mehr und mehr nach Norden verlagert, als er in Wien, München und Dresden wirkt, um schließlich in Warschau eine Wahlheimat zu finden, verliert sein Stil allmählich alles Malerisch-Fließende, wird immer deutlicher, schärfer konturiert, tendiert mehr und mehr zum Zeichnerischen, reduziert das Kolorit in seinen Buntwerten.

Im Bild der Piazza della Signoria porträtiert er detailgetreu den Stadtpalast, die Loggia dei Lanzi, Kirchen- und Häuserfassaden, Dächer und Türme. Doch er ergänzt die akribische Bestandsaufnahme durch beobachtetes Leben, Szenen des Alltags. Das Museale wird besetzt mit Banalem, das Dauernde mit Flüchtigem. Ein zufälliges Spätnachmittagslicht liegt auf dem Platz, der so in doppeltem Sinn einmalig wird: als urbanistisch-architektonischer Komplex und als erlebte Stadtgegenwart.

Bernardo Bellotto: Piazza della
Signoria in Florenz, um 1740–1745
Öl auf Leinwand, 61 x 90 cm
Budapest, Magyar Szépművészeti Múzeum

Giovanni Battista Tiepolo
1696–1770

»Gerusalemme liberata« (»Das befreite Jerusalem«), das große Heldenepos von Torquato Tasso, 1581 erschienen, regte Tiepolo nicht nur zu der Bilderfolge im Tasso-Saal der Villa Valmerana bei Vicenza an, sondern auch zu einer Einzeldarstellung wie dieser. Die Episode mit Armida, die der Held Rinaldo erlebt, spielt zur Zeit der Kreuzzüge.

Die Zauberin Armida fliegt in ihrem Drachenwagen an dem schlafenden Rinaldo vorbei, der sich vom Kampf ausruht, erkennt ihn als Feind und will ihn erdolchen; doch da wird ihr Haß zu Liebe, sie entführt ihn auf eine Zauberinsel, fern des Kampfes, wo Rinaldo ihrem Liebeszauber verfällt. Erst zwei nach ihm ausgesandte Krieger, die ihn dort auffinden, machen ihm das Unrecht seines Müßiggangs deutlich, indem sie ihm einen Schild als Spiegel vorhalten, ihn so an den Kampf erinnern und mit sich zurückführen.

Tiepolos Armida ist eine betörende Venus-Gestalt, den Spiegel als Instrument ihrer zauberischen Verwirrung und Amor als Liebesstifter bei sich. Völlig hingegeben ruht der junge

Held an ihrer Brust, von einer Blumengirlande umschlungen, die Zeichen seiner Verstrickung ist. Die Theaterhaftigkeit der Vordergrundszene wird verstärkt durch das Geschehen im Hintergrund, wo man hinter einer »Kulissenarchitektur« die beiden Kriegsgefährten nahen sieht. Der Reichtum des Kolorits, die sinnlichen Reize Armidas, die Pose der Hingabe Rinaldos, die Satyr-Herme und der Papagei, die zartblaue Landschaft im Tordurchblick, der rosaschimmernde Himmel, die phantastischen Bäume lassen das Bild einer »Ile enchantée«, einer verzauberten Insel, mit ungeheurer Suggestion vor uns erstehen.

Pflicht, Wirklichkeit und Ordnung sind in den Gestalten der beiden Soldaten verkörpert, die den entrückten Rinaldo in eben diese Sphäre zurückholen wollen. Indem nun Tiepolo seine gesamte malerische Überredungskunst darauf verwendet, die Episode des Glücks, der Liebe und Sorglosigkeit zu vermitteln, bezieht er uns, die Betrachter, darin mit ein: Wir verfallen ebenfalls dem Zauber Armidas... und nur noch in der Ferne mahnen die Vasallen, die Stimmen des Alltags. Die Szene mit Tassos Liebespaar ist zu einer exemplarischen Form verdichtet, in der der Sieg der Magie über die Realität zu einer leise bedrohten Gegenwart wird.

Giovanni Battista Tiepolo:
Rinaldo und Armida, 1753
Öl auf Leinwand, 104,8 x 143 cm
München, Bayerische Staatsgemäldesammlungen

Giovanni Battista Tiepolo:
Rahel verbirgt die Götterbilder, 1726–1728
Fresko (Detail), Höhe ca. 500 cm, Breite ca. 400 cm
Udine, Palazzo Arcivescovile

Giovanni Battista Tiepolo:
Sara und der Erzengel, 1726–1728
Fresko (Detail), Höhe ca. 400 cm,
Breite ca. 200 cm
Udine, Palazzo Arcivescovile

Giovanni Battista Tiepolo
1696–1770

Nach Jahren der Unterdrückung im Hause Labans war Jakob geflohen. Mit ihm seine Kinder, das Vieh und Rahel und Lea, die Töchter Labans. Rahel, von Laban um Erbe und Besitz gebracht, hatte diesem die Götterbilder gestohlen und unter dem Kamelsattel versteckt. Drei Tage später wurden die Flüchtenden eingeholt und des Diebstahls bezichtigt. Unwissend beteuert Jakob seine Unschuld, während Laban vergeblich das Zelt durchsucht.

In Tiepolos Fresko wird die biblische Erzählung zu einer kunstvoll aufgebauten Szene einzelner Gruppen, Haltungen und Situationen. Die Mittelgruppe zeigt Jakob, der aufrichtig aus dem Bild sieht, und den greisen Laban, der zornig auf seine am Boden sitzende Tochter einredet. Links repräsentiert eine Gruppe mit Hirt, Magd, Kindern und Vieh – fast ein selbständiges Idyll – das Ziel der Flüchtenden im einfachen bäuerlichen Leben. Rechts vor einer hohen Draperie, die den Blick auf das »Theater« freigibt, steht Lea, eine Amphore im Arm, und beobachtet das Geschehen. Hinter dem Vorhang ein rastendes Paar, Kameltreiber und bepackte Kamele. Der Handlungsablauf, der so zwischen dem Woher und Wohin aufgespannt ist, sich in der Episode um Rahel brennpunktartig konzentriert, wird mit Mitteln der Komposition zu einem unruhegeladenen Ereignis bedrängender Nähe und Intensität.

Auch in diesem Fresko aus Udine greift Tiepolo ein alttestamentarisches Thema auf: Die greise Sara empfängt von einem Engel die Botschaft, sie werde ihrem hundertjährigen Gatten Abraham noch einen Sohn gebären. Tiepolo verzichtet hier auf alles Erhaben-Feierliche zugunsten einer Gegenwärtigkeit und Nähe des Ereignisses, die ihre Glaubwürdigkeit aus der wahrhaftigen Menschendarstellung und der beobachteten »italienischen« Wirklichkeit des Ambientes beziehen.

Hagar, die Magd Isaaks, hatte diesem einen Sohn Ismael geboren. Als beide von Isaaks Frau Sara in die Wüste verjagt wurden, rettete ein Engel das Kind vor dem Verdursten, indem er der Mutter den Weg zu einem Brunnen wies. Tiepolo siedelt das Ereignis aus dem Alten Testament nicht wie Claude Lorrain in einer verlassenen weiten Landschaft an, sondern drängt es in eine dichte Komposition. Vorn liegt das blasse, erschöpfte und dürstende Kind, dahinter ragt die schöne Gestalt Hagars als Halbfigur auf, die, mit flehender Geste auf Ismael verweisend, ihr Gesicht dem Engel zuwendet. Dieser, kraftvoll und wirklich, streift ihre Schulter im Flug, blickt mitleidsvoll auf das lechzende Kind und weist den Weg zum Brunnen. Die Hilflosigkeit und Hilfsbedürftigkeit der Mutter wird nicht durch ein räumliches Verlorensein ausgedrückt, sondern durch eine Trauergeste, die an die schmerzerfüllte Maria einer Pieta gemahnt. Die Dringlichkeit, mit der Hagar für ihren Sohn um Beistand bittet, wird durch die Dichte und Gedrängtheit der Komposition erreicht. Durch sie werden die Unausweichlichkeit, das Flehen zu erhören, die Unmöglichkeit, sich ihm zu entziehen, deutlich.

Giovanni Battista Tiepolo:
Hagar und Ismael in der Wüste, um 1732
Öl auf Leinwand, 140 x 120 cm
Venedig, Scuola di San Rocco

Jean-Etienne Liotard
1702–1789

Jean-Etienne Liotard:
Türkische Frau mit Tamburin,
um 1738–1743
Öl auf Leinwand, 63,5 x 48,5 cm
Genf, Musée d'Art et d'Histoire

Von 1738 bis 1743 lebte Liotard in Konstantinopel, wo er sich die türkische Sprache, Kleidung und Lebensweise völlig aneignete. Die Detailgenauigkeit dieses Bildes zeigt ihn als sorgfältigen Beobachter, aber auch als brillanten Techniker. Denn obwohl Liotards Ruhm sich primär auf seine Qualität als Pastellist begründete, fertigte er von diesem Sujet neben einem geringfügig kleineren Pastell (Zürich, Privatbesitz) eine Replik in Öl auf Leinwand an – weil er in dieser Malweise andere Akzente setzen konnte. Während die pudrig-samtene Oberfläche des Pastells und seine größtenteils vom Weiß bestimmten Farbtöne zur schmeichelnden Wiedergabe der eleganten Pariserin so geeignet sind, können die starkfarbigen Reize türkischer Tracht gerade in der Öltechnik intensiv zur Geltung kommen: die kräftigen Buntwerte, die Glanzlichter des Goldbrokats, der seidige Schimmer der Pluderhose. Hier ist alles gesättigt mit Farbpigment und Licht. Nur das Inkarnat ist Reminiszenz an den Pastellcharakter. Es ist das perfekt geschminkte, gepflegte Gesicht einer Französin, dessen malerische Haltung deutlich von der unterschieden wird, in der das Kostüm und das Ambiente wiedergegeben sind. Die »Turquerie«, einer der beliebten exotischen Modeimporte des Rokoko, ist hier nicht nur Bildgegenstand, sondern wird in den Bildmitteln evident. Denn der Kontrast des »Pastelligen« und des »Öligen« gibt zu verstehen, daß wir ein preziöses Modell in Verkleidung vor uns haben, die als solche erkannt werden soll.

Er hatte die Metropolen Europas besucht, hatte Papst Klemens XIII. und Kaiserin Maria Theresia porträtiert, als er wieder einmal in seine Heimatstadt Genf zurückkehrte, um die Bildnisse der höheren Gesellschaft dort zu schaffen. Nicht ohne Selbstbewußtsein preist er in seinen Aufzeichnungen dabei besonders die beiden Porträts, die den Ratsherrn Tronchin, einer der ältesten und wohlhabendsten Familien der Stadt entstammend, und seine Gattin zeigen.

Wir sehen Tronchin, halbfigurig und im Dreiviertelprofil, in Amtskleidung an einem Arbeitstisch sitzen. Seine Geste erinnert an jene, mit der die Heiligen in einer »Sacra Conversazione« auf den Gegenstand ihrer Anbetung verweisen. Aber Tronchin deutet nicht auf eine Madonna mit Jesusknaben, sondern auf ein Gemälde Rembrandts, das dessen zweite Frau Hendrickje Stoffels im Bett zeigt. Liotard informiert den Betrachter über die Sammlertätigkeit Tronchins, die Rembrandt-Begeisterung der Epoche, und setzt zudem seine eigene Malerpersönlichkeit in Bezug zu dem prominenten Kollegen. Daß es gerade ein Gemälde Rembrandts ist, das er auf die Staffelei stellt, mag verwundern, orientierte sich der minuziöse Pastellist doch mehr an der Glätte und Genauigkeit eines Jan van Huysum. Aber gerade in dem bewußt hergestellten Gegensatz – aus dunkler Raumtiefe nackt, fast bäuerlich Hendrickje, davor glatt, elegant und hell vor hell Tronchin – hebt Liotard unbescheiden und effektvoll seine Eigenart hervor.

Jean-Etienne Liotard:
Bildnis des François Tronchin, 1757
Pastell auf Pergament, 37,5 x 46 cm
Genf, Sammlung André Givaudon

Angelika Kauffmann
1741–1807

Bereits als Elfjährige erregte sie Bewunderung durch ein Bildnis des Bischofs Nevroni, und wenngleich sie später auch allegorische, antike, historische und religiöse Themen in ihren Gemälden verarbeitete, blieb das Porträt zeitlebens der Grund ihres immensen Erfolges. Von Aufträgen überhäuft, ging ihre Malerei bald in Routine über, die sich in einer zunehmenden Glätte und Gefälligkeit ihres Stils niederschlug, der dadurch alles Charakteristische einbüßte. Goethe, den sie 1787 porträtierte, bemerkte dazu nur lakonisch: »Es ist immer ein hübscher Junge, aber keine Spur von mir.«

Das Selbstbildnis der Malerin kann solche Routine zwar nicht verleugnen, ist dekorativ wie eine Raumausstattung, deren sie in Zusammenarbeit mit dem englischen Architekten Robert Adam zahlreiche schuf, aber es zeigt ihr Gesicht als das einer empfindsamen Persönlichkeit. Daß sie Klopstocks »Messias« illustrierte, mit den Dichtern der literarischen Empfindsamkeit verkehrte, mit Goethe, Herder, Winckelmann und Reynolds befreundet war, ist für diese halb natürliche, halb künstliche Attitüde aufschlußreich. Daneben spricht aus ihren Zügen auch eine klare Bestimmtheit, die sich mit dem Bild vereinbaren läßt, das die Kauffmann als Zeichnerin abgibt. Dort beweist ihr kühner, freier, »moderner« Strich die Individualität eines echten Talents.

Angelika Kauffmann:
Selbstbildnis, 1780
Öl auf Leinwand,
130 x 102 cm
Frankfurt am Main,
Goethe-Museum

Johann Heinrich Füssli
1741–1825

Shakespeares Komödie »Ein Sommernachtstraum«, das kunstvolle Verwirrspiel auf verschiedenen Realitätsebenen, das Ineinandergreifen von mythologisch-höfischer Rahmenhandlung, Tragödien-Satire und Feenmärchen, hat zu den unterschiedlichsten Interpretationen herausgefordert. Füssli bezieht sich hier auf die Rache des Elfenkönigs Oberon an seiner mit ihm zerstrittenen Gattin Titania, der er von seinem Kobold-Diener Puck Tropfen einer Wunderblume im Schlaf in die Augen träufeln läßt, auf daß sie sich in das nächstbeste Wesen verliebe, »sei's Löwe, sei es Bär, Wolf oder Stier, ein naseweiser Aff', ein Paviänchen«. Puck erhöht die Boshaftigkeit des Schabernacks, indem er dem als Opfer bestimmten geschwätzigen Weber Zettel – Entstellung zur Wahrheit – einen Eselskopf aufsetzt.

Füssli macht aus dieser Episode eine Traumvision. Er zeigt Titania als überlegen triumphierende Venus, zu deren Füßen dumm und schwerfällig Zettel einem Menschlein seine Macht demonstrieren will, beide flankiert von zwei statuengleichen Hofdamen, träumend und wachend, und umrahmt von einem Reigen lieblicher, gräßlicher und komischer Gestalten. Schönheit und Häßlichkeit, Übermut und Angst, Jugend und Greisentum, Witz und Torheit werden hier zu einem Triumph der Erfindungskraft vereint, verdichtet zu einer Allegorie des Traums.

Heinrich Füssli:
Titania und der eselsköpfige Zettel, um 1790
Öl auf Leinwand, 216 x 274 cm
London, Tate Gallery

William Hogarth: Die Kinder der Familie Graham, 1742
Öl auf Leinwand, 160,5 x 181 cm. London, Tate Gallery

William Hogarth:
Selbstbildnis, 1745
Öl auf Leinwand,
90,2 x 69,8 cm
London, Tate Gallery

William Hogarth
1697–1764

Dr. Graham, Apotheker am Chelsea-Hospital in London, war zu einem gewissen Wohlstand gelangt und gab als dessen äußeres Zeichen 1742 ein Porträt seiner vier Kinder in Auftrag. Der Forderung, bürgerlichen Wohlstand zum Ausdruck zu bringen, entsprach Hogarth ganz und gar: die adretten, sonntäglichen Seidenkleider, die würdevolle Draperie, der Reichtum an Blüten und Früchten, das nur knapp angegebene, aber repräsentativ-kultivierte Mobiliar. Doch Hogarth bietet mehr als eine gefällige Wohnzimmer-Dekoration.

Die Kinder sind in fast zeremonieller Ordnung aufgestellt, die an Velázquez' »Las Meninas« erinnert, sind aber dabei voller Leben und Heiterkeit. Sie bilden mit ihren frisch-rosigen Gesichtern, ihrer lichten Kleidung, ihren schattenlosen Mienen eine Welt uneingeschränkter Lebensfreude. Und doch empfinden wir die Bedrohtheit dieses unschuldigen Glücks; es ist nicht allein das Raumdunkel hinter ihnen, sondern auch die Flankierung durch barocke Allegorien: links Zeit und Vergänglichkeit in Gestalt eines kindlichen Chronos auf der Uhr, rechts die den Vogelkäfig lüstern belauernde Katze als Sinnbild bedrohter sexueller Unschuld. Die Gefahren der Erwachsenenwelt sind bereits in diesem Raum anwesend.

Sehr schmeichelhaft ist es nicht, wie sich der 48jährige abbildet. Nicht der geringste Kostümaufwand, nicht das leiseste Lächeln machen die eigensinnige Physiognomie gefälliger, sondern sie wird noch verstärkt durch den Reflex in der Mimik des Mopses. Dargeboten wird das Selbstporträt als Bild im Bild, als ovale Leinwand, die auf einem Bücherstapel steht und so auf das Malerhandwerk verweist. Als dessen Attribut ist vorn auch eine Palette plaziert, die neben Signatur und Datierung eine S-Linie ziert, durch Beischrift zur »LINE of BEAUTY and GRACE« erklärt und zentraler Gegenstand von Hogarths Kunstlehre. In seiner »Analysis of Beauty« hat er sie formuliert: Theoriebildung als Bestandteil des Werks, Verzicht auf äußeres Gepränge und Idealisierung zugunsten konturierten Charakters und ungeschminkter Wahrheit – ganz so, wie Hogarth sich hier darstellt. Shakespeare, Milton und Swift liest man auf den Buchrücken: das Englische, Moralkritik und Hoffnung auf religiös-ethische Erneuerung und beißende, zeitkritische Satire. So gesehen, ist es doch ein zumindest selbstbewußtes Bildnis.

In der improvisierten Komposition des »Krabbenmädchens«, einer Ölskizze, zeigt sich Hogarths ganze malerische Begabung. Es gelingt ihm, das Beobachtete in einer Spontaneität wiederzugeben, die dem ersten Eindruck entspricht. Die Frische des Erlebnisses wird hier nicht umgesetzt, sondern ist identisch mit den Bildmitteln.

William Hogarth: ▷
Das Krabbenmädchen, um 1740
Öl auf Leinwand, 63,5 x 52,5 cm
London, National Gallery

William Hogarth
1697–1764

Ursprünglich wollte Hogarth Historienmaler werden, aber weder seine Zeitgenossen noch die Nachwelt zeigten Interesse an derartigen Ambitionen. Sie suchten den Hogarth der entgegengesetzten Welt, den Hogarth der moralisierenden Satire in »The Rake's Progress«, in »The Harlot's Progress«, in »Marriage à la Mode«. Und sie suchten ihn als Porträtisten. Seine Fähigkeit zu charakterisieren, im Typischen das Einmalige aufzufinden, seine Neigung, Geschichte außerhalb der Geschichte zu ironischen Exempeln menschlicher Natur zu pointieren: Er galt und gilt als der Maler des Privaten, Vergessenen, Übersehenen.

Unter seinen späten Werken findet sich dieses Bild seiner Dienerschaft. Hogarth porträtiert eine Gruppe und verweigert die Anordnung zum Gruppenporträt, zum Konversationsstück. Er fertigt ein Gemälde an, das den Charakter eines Studienblatts hat. Er bedient sich der Mittel der Skizze und führt zugleich jedes einzelne Gesicht mit liebender Sorgfalt aus. Die Domestiken tragen ihre häusliche Dienstkleidung, sind auf engem Raum zusammengedrängt und zugleich gänzlich freie Individuen. Jeder blickt in eine andere Richtung, keiner ist auf den anderen bezogen. Keiner verrät etwas über sich, obwohl er als einmaliger Charakter erfaßt ist. Das Nächste ist unbekannt, das Vertrauteste verschlossen.

William Hogarth:
Die Dienerschaft des Hauses Hogarth, um 1750–1755
Öl auf Leinwand, 62,2 x 74,9 cm
London, Tate Gallery

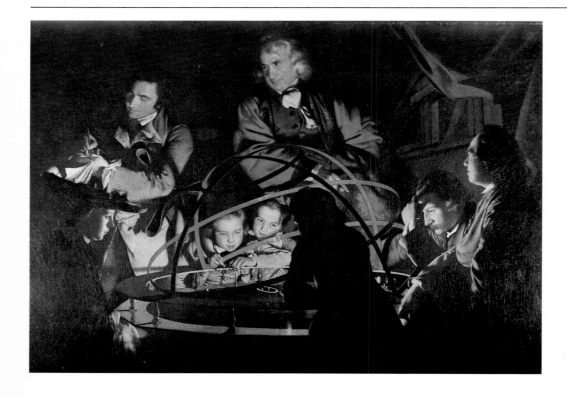

Joseph Wright
1734–1797

Man denkt sofort an Caravaggio oder zumindest an Caravaggisten wie Valentin de Boulogne, Honthorst oder Artemisia und Orazio Gentileschi. Die Möglichkeiten drastischen Helldunkels, die Effekte der Lichtregie, die eineinhalb Jahrhunderte zuvor von dem Römer entdeckt worden waren, scheinen hier wieder aufzuleben. Aber beim zweiten Hinsehen bereits erkennt man, daß diese Ansicht trügerisch, der Bezug nicht echt ist. Caravaggio verrät uns nie die Quelle seines Bildlichts, unterwirft dies meist keiner sofort erkennbaren Logik, läßt es unerklärt.

Hier, bei Wright, ist die Lichtquelle ebenfalls vor unseren Augen verborgen, aber wir wissen sie dennoch; sie ist eindeutig lokalisierbar, und zwar im Bild selbst, auch wenn sie sich nur als Widerschein im Publikum zeigt. Dieses Licht ist mit keinen Geheimnissen und Verweisen befrachtet, es ist Teil einer wissenschaftlichen Demonstration. Es ist ein profanes, ein vernünftiges Licht. Und dennoch bannt es die Fachkollegen, fasziniert die Kinder, »erhebt« die hoch aufgerichtete Gestalt des Philosophen, zaubert Staunen in das Gesicht der Frau. Die Wunder der Offenbarung sind säkularisiert. Die Erscheinung des Lichts ist erklärt. Die gläubige Hingabe ist dem Erkenntnisdrang gewichen. Doch das Staunen ist geblieben.

Joseph Wright:
Ein Philosoph hält einen Vortrag
über das Planetarium, um 1763–1765
Öl auf Leinwand, 147 x 203 cm
Derby, Museum and Art Gallery

ENGLAND

Joshua Reynolds
1732–1792

Jeder Engländer aus besseren Kreisen, der seine obligate Bildungsreise zu den Kunstzentren des Kontinents absolviert hatte, wußte Bescheid: Die Pose der Mrs. Siddons auf dem majestätischen Thron zitierte Michelangelos Propheten in der Sixtinischen Kapelle des Vatikans. Die Idee des »Portrait historié«, der Einkleidung eines Porträts in einen mythologischen oder historischen Vorwurf, war 1789, als dies Bild entstand, keineswegs mehr neu. Und in diesem Fall die Rolle einer tragischen Muse zu wählen, hinter der die verderbenbringenden Dämonen lauern, lag auf der Hand: Mrs. Siddons war eine umjubelte Heldin vor allem der tragischen Partien großer Shakespeare-Dramen.

Trotzdem ist dieses Gemälde, das sein Schöpfer elegant und selbstbewußt im Gewandsaum mit »Joshua Reynolds pinxit 1789« signierte, eine geniale Bilderfindung. Die Szene in den Wolken ist nicht ätherisch-licht, sondern in einem tonigen Rembrandt-Braun gehalten, das ihr gleichzeitig Schwere und Würde verleiht. Das Pathos der Prophetenpose wird erleichtert durch die lässige Eleganz der Dargestellten. Und die Unpersönlichkeit der mythologischen Rolle findet ihr Gegengewicht in der brillanten Charakterstudie dieser Schauspielerin, die nicht mit dem Gespielten identisch wird, sondern eine individuelle, sensible Frau des 18. Jahrhunderts bleibt. Die traditionellen Mittel, derer sich Reynolds souverän bedient, dienen nur einem: das Bildnis der Mrs. Siddons als einer unwiederholbaren Persönlichkeit zu steigern.

Seinen Schülern an der Royal Academy predigte Reynolds immer, wie wichtig es sei, die alten Meister in den Inhalten und in der Technik ihrer Werke zu studieren und durch Kopieren sich einen Stil anzueignen, über den man verfügen könne. Wenngleich Reynolds eine überaus eigenständige Malerpersönlichkeit war, beherrschte er das »à-la-mode«-Malen, konnte in das Kostüm eines anderen Stils schlüpfen.

Hier, im Bild des kleinen Samuel, ist es das Kostüm Rembrandts, das er wählt. In tonigen Braunschattierungen zeigt er Samuel, den letzten Richter und ersten Propheten Israels, als Kind. Schon die Wahl des Themas ist befremdlich, scheint doch die Rolle Samuels, Inbegriff steten Gehorsams, großer Weisheit und gerechter Strenge, überlastig für den zarten Knaben, dem Reynolds sie überträgt. Indem er sich nun der Licht- und Farbmöglichkeiten von Rembrandt bedient, zitiert er auch die tief menschliche Frömmigkeit in dessen Bildern. Und damit wird das Rembrandthafte zum Würdemotiv, das nicht nur erhebt und den Sinn vertieft, sondern auch vermittelt zwischen dem religiösen alttestamentarischen Anspruch und der Kindlichkeit des Knaben. Das Rembrandt-Braun ist aber auch Galerieton, adelt das Gemälde als Sammlerstück. In diesem Zusammenhang funktioniert die Kindlichkeit wiederum als vermittelnde Distanz: Das hohe sakrale Thema wird anpassungsfähiger, unpathetischer. Diesen »Samuel« kann man sich ins Wohnzimmer hängen.

Joshua Reynolds:
Mrs. Siddons als tragische Muse, 1784
Öl auf Leinwand, 236 x 146 cm
San Marino (Cal.), Huntington
Library and Art Gallery

Joshua Reynolds:
Samuel als Kind, 1776
Öl auf Leinwand,
89 x 70 cm
Montpellier, Musée Fabre

Thomas Gainsborough
1727–1788

Der Landadel Suffolks wurde für Gainsborough zum Hauptauftraggeber, als dieser 21jährig in die Nähe seines Geburtsortes Sudbury zurückkehrte. Landschaften waren in diesen Kreisen wenig gefragt und wurden nur zu Dekorationszwecken über den Kamin gehängt. Und dennoch zeigt sich Gainsborough in diesem ersten Auftrag der sogenannten Ipswich-Periode sowohl als Porträtist von Personen als auch von Landschaften; denn die Kornfelder, Hügel und Baumgruppen sind nicht ideale Fiktion, sondern Abbild einer ganz konkreten Besitzung. Die jungen Gutseigentümer sind in lässiger Pose davorgesetzt. Aber ihnen haftet etwas Künstliches, Staffagehaftes an, das Gainsborough erst in seinen reiferen Jahren überwindet. Die von seinem Malerkollegen Francis Hayman aufgebrachte Mode der vierziger Jahre, Figuren in voller Größe vor einem Landschaftshintergrund zu postieren, findet hier zwar eine ihrer zauberhaftesten Formulierungen, doch sie verrät noch deutlich das auch von Gainsborough praktizierte Vorgehen, mit Kork, Sand, Spiegelscherben, Moos, Spargelsprößlingen und Puppen modellhaft zu konstruieren. Zugleich jedoch kündigt sich hier etwas Neues an, denn diese reale Suffolker Gegend ist zuvor in Skizzen festgehalten worden – vor der Natur.

Der individuelle Porträtstil Gainsboroughs blieb ohne Nachfolge. Seine an niederländischen Vorbildern des 17. Jahrhunderts – vor allem an Ruisdael – geschulte Landschaftsmalerei hingegen prägte die der nachfolgenden Generationen, die in ihm einen bedeutenden Vorkämpfer der Freilichtmalerei erkannten. In einem Bild wie der »Tränke« werden auch seine intensiven Beobachtungen natürlicher Licht- und Beleuchtungsphänomene sichtbar, die Gainsborough vor der Natur in Skizzen festhielt, um sie im Atelier zu verarbeiten.

Ein Vergleich dieses Doppelporträts mit dem frühen des Ehepaars Andrews drängt sich auf: Wiederum haben wir zwei Ganzfiguren in freier Natur vor uns. Aber schon in dem Zueinander von Mann und Frau wird der eklatante Unterschied zu dem Jugendwerk spürbar. Das unbeteiligte, kühle Nebeneinander ist einer Haltung natürlicher Innigkeit gewichen, an die Stelle der etwas steifen Unbewegtheit ist ein leichtes, elegantes Schreiten getreten. Leichtigkeit bestimmt die Atmosphäre mit ihrem zarten morgendlichen Licht, das sich nicht mehr auf die Oberflächen legt, sondern in allen Farben liegt, was sie schwerelos macht. Laub, Stoffe, Haare, die Federn auf Elizabeths Hut, das Fell des Hündchens – alles scheint aus derselben luftig-leichten Materie zu bestehen. Ganz anschaulich sind die beiden Personen nicht mehr vor eine Landschaftskulisse gesetzt, sondern sind, trotz erlesener Gewandung, ihr ähnlicher, verwandter.

Thomas Gainsborough:
Robert Andrews und seine Frau Frances, um 1750
Öl auf Leinwand, 69,8 x 119,4 cm
London, National Gallery

Thomas Gainsborough: Die Tränke, 1777
Öl auf Leinwand, 147,3 x 180,3 cm
London, National Gallery

Thomas Gainsborough: Der Morgenspaziergang ▷
(Das Ehepaar Hallett), um 1785/86
Öl auf Leinwand, 263,3 x 179,1 cm
London, National Gallery

Richard Wilson
1714–1782

Für die scheinbar so voraussetzungslose Kunst William Turners waren Bilder wie dieses von entscheidender Bedeutung. Wilson löst sich hier von der Tradition eines Poussin oder Vernet, verzichtet auf die Suggestion der Bildgegenstände. Nur aus Blau-, Grün- und Brauntönen baut er die Landschaft auf, die in feinen, durchsichtigen Schattierungen miteinander verbunden sind. Das Atmosphärische muß nicht mehr an einzelne Bildbestandteile gebunden sein, es benötigt keine Träger, sondern trägt sich selbst. Die Konturen der Bergrücken, der kaum belebten Bäume, der Ufer, der Spiegelung bilden ein eigenes System von Bewegung und Gegenbewegung aus, das nicht der stabilisierenden Kompositionsachsen bedarf.

Die Dichte und Verhaltenheit des Kolorits ist nahezu analog: Auch im Bereich der Bildfarbe wird auf das Gerüst einer Helldunkel-Tektonik verzichtet. Die zarten Valeurs ergänzen einander, ohne sich zu vermischen. Die Landschaft selbst kennt keine dramatischen Akzente, nichts Leidenschaftliches. Kühl, teilweise mit zeichnerischer Genauigkeit ist sie festgehalten als eine Erscheinung, die nicht aus Spannungen lebt, sondern aus der Selbstverständlichkeit ihrer Existenz. Landschaft ist nicht mehr Bühne, nicht Aktionsraum, sondern distanziertes Gegenüber. Erst im langsamen, vorsichtigen Eingehen auf ihre atmosphärische Vielschichtigkeit wird sie verstehbar.

Richard Wilson:
Blick von Llyn Nantlle auf den Snowdon, um 1766
Öl auf Leinwand, 100 × 127 cm
Nottingham, Castle Museum

George Stubbs
1724–1806

Pferdeporträts wie dieses haben im allgemeinen einen konkreten Auftragsanlaß, sei es, daß das edle Tier als Sieger in einem Turnier einen Tausend-Guinea-Preis eingebracht hat, sei es, daß es als Elternteil einer Generation berühmter Rennpferde in die Geschichte des englischen Sports eingegangen ist. Das Bildnis ist Denkmal eines denkwürdigen Individuums, und niemand hat – bis heute – ein tieferes und selbstverständlicheres Verhältnis zur Individualität des Tieres gepflegt als die Engländer.

Wo von Denkmälern die Rede ist, erwartet man im allgemeinen die pathetische Geste. Davon ist bei Stubbs auf den ersten Blick wenig zu spüren. Das prüfende, auf sachliche Befunde und sicheres Urteil geschulte Auge des Pferdekenners kommt hier weit mehr auf seine Kosten als der Liebhaber kraftvoller barocker Tierdramen. Alles, was Molly Longlegs an charakteristischen Vorzügen aufzuweisen hat, wird sorgfältig und unaufdringlich mit den profunden Kenntnissen des Anatomen – Stubbs hat selbst Vorlesungen über Anatomie gehalten – ins Bild gebracht. Keine perspektivische Verkürzung soll die objektive Schilderung stören; das Sattelzeug ist abgenommen und liegt am Boden, der schlanke, nervöse Kopf des Tieres, kaum zur Seite gewandt, sucht mit großem, feurigem Auge die Bewunderung des Liebhabers, und der wird sie ihm schwerlich versagen können.

George Stubbs:
»Molly Longlegs« mit Jockey, um 1761/62
Öl auf Leinwand, 102 × 127 cm
Liverpool, Walker Art Gallery

Thomas Lawrence
1769–1830

Daß er es versteht, Schönheit optimal zur Geltung zu bringen, stellt Lawrence hier unter Beweis. Der Kontrast des glänzend-dunklen Haares zu der Helligkeit der Haut, die durch das transparente Batistgewand noch verstärkt wird, das kräftige Rot der Lippen, mit dem nichts in direkte Konkurrenz tritt, sondern das nur durch die rote Draperie um die Hüften beantwortet und so betont wird: All das verrät die geübte Hand eines virtuosen Bildnismalers. Lawrence bietet jedoch mehr als eine technisch meisterhafte Verlängerung bereits etablierter Porträtkultur. Erinnert man sich an Bildnisse von Gainsborough vor dem Hintergrund einer Landschaft, wird das andere, Neue, in diesem Porträt deutlich. Nicht nur, daß keine ganze Figur gezeigt wird, nein, sie agiert auch nicht, sie verhält sich überhaupt nicht zu der Natur, gehört gar nicht mehr zu ihr.

Die Natur ist Kulisse eines Auftritts, der sorgsam kalkuliert ist. Obwohl die Lady gerade den Stimmschlüssel an ihre Harfe setzt, ist sie ein statisches Bildwerk. Die Verteilung farbiger Akzente, zum Beispiel des Rots, ist quasi die Ausponderierung ihrer unverrückbaren Haltung. Die Harfe und der Teil eines steinernen Podestes sind zwar auch als Träger einer elegischen Stimmung gemeint, fungieren aber primär als stabilisierende Elemente des Bildaufbaus. »Sentimentality« und Klassizismus werden hier gleichzeitig realisiert. Eine klare und strenge Bildarchitektur verbirgt sich hinter der Suggestion träumerischer Weichheit. Das Konzept des erfahrenen Porträtisten trägt das Gewand zufälliger Inspiration.

Er ist vielleicht vier Jahre alt, aber er hat die routinierte Eleganz einer begehrten Schönheit, dekorativ zu posieren. Er hat weiche, kindliche Züge, lieblich und noch unbeschrieben, hat rundliche Glieder und einen unschuldig-direkten Blick. Und doch faßt er mit beinahe gezierter Delikatesse um den Knöchel seines Füßchens, um die Blumenstengel eines kleinen Buketts. Die eitle Schärpe um seine Taille ist kunstvoll geordnet, pathetisch, würdevoll erhebt sich hinter ihm eine leuchtend rote Draperie. Es scheint, als habe der Maler wenig Sinn für das, was dem Kind und dem Kindlichen angemessen sei. Aber dennoch gelingt es ihm, gerade in dieser Unangemessenheit das Wesen des Kindlichen zum Ausdruck zu bringen. Das Eitle, das Pathetische, das Affektierte werden »entschärft« durch die unschuldsvolle Klarheit und Reinheit des Gesichts. Zugleich werden ihre dekorativen Effekte genutzt, um, wie bei jedem Damenporträt von Lawrence, den Schmelz des Inkarnats, den Schimmer des aschblonden Haares, die Feinheit der Gesichtszüge zum Ausdruck zu bringen. Das Kind kann so als die zarte Schönheit erscheinen, die der empfindsame Geist in ihm erkennt, ohne seine Glaubwürdigkeit zu verlieren, ohne zur staffierten Puppe zu werden.

Lawrence führt in diesem Bild vor, wie ein individuelles Porträt des kleinen Master Ainslie zum dekorativen Ausstattungsstück werden kann, das den Auftritt des Schönen inszeniert.

Thomas Lawrence:
Bildnis Lady Elizabeth
Conyngham, um 1821–1824
Öl auf Leinwand,
91 x 71 cm
Lissabon, Sammlung
Gulbenkian

Thomas Lawrence:
Bildnis Master Ainslie, 1794
Öl auf Leinwand,
90 x 70 cm
Madrid, Museo
Lázaro Galdiano

George Romney
1734–1802

Daß der Wandel vom Rokoko zum Klassizismus kein abrupter Stilwandel sein muß, sondern ein kontinuierliches Sichverändern sein kann, wird in England, das den Einschnitt der Revolution nicht erlebte, besonders im Bereich des Porträts deutlich. Gerade Romneys Werk vereint Züge einer Reynolds-Nachfolge mit einer neuen schwelgerischen Sentimentalität – so in den zahlreichen Porträts der göttlichen Emma Hart, später Lady Hamilton – oder auch einer kühlen Eleganz, die dem lebhaften Ausdruck elegische Distanziertheit vorzieht.

Vor diesem Gruppenbildnis wird auch Romneys Vorliebe für den Franzosen Le Sueur deutlich: Die perfekt kalkulierte Komposition und die entschiedene Bestimmtheit der Körper belegen diese Bilderfahrung. Hier hat das Gesellschaftsstück den Charakter beobachteter Wirklichkeit verloren, zeigt nicht mehr die verborgene Vitalität hinter der für den Porträtisten eingenommenen Pose. Das Bild verzichtet auf monumentale Theatralik und ist doch von standbildhafter Reglosigkeit, die vor allem durch die völlige Kontaktlosigkeit der eng gruppierten Familienmitglieder entsteht. Keines blickt dem anderen in die Augen, melancholisch sinnend entgleiten die Blicke. Die Kommunikationslosigkeit der Personen untereinander, ihre sanfte Desinteressiertheit bewirken aber zugleich die elegante Gelassenheit, die von der Gruppe ausgeht.

George Romney: Die Familie Leigh, um 1767–1769
Öl auf Leinwand, 180 x 197,5 cm
Melbourne, National Gallery of Victoria

William Blake
1757–1827

Blake illustrierte Themen des Alten und Neuen Testaments, Miltons »Paradise Regained«, Youngs »Night Thoughts«, eigene Mythologien und Gedichte wie »Songs of Innocence« und Blairs »The Grave«. Von 1824 bis 1826 entstanden im Auftrag seines großen Mäzens John Linnell hundert Aquarelle zu Dantes »Göttlicher Komödie«, die als Illustrationsfolge in Kupfer gestochen werden sollten.

Wie bei allen seinen Illustrationen nimmt Blake auch hier Stellung zum Text, kommentiert ihn individuell in seinen Bildern. So formuliert er in diesem Fall seine – aller Bewunderung des Dichters zum Trotz – vehemente Kritik an Dantes katholischer Orthodoxie, die ihm die wirkliche Klarsicht und Erlösung in Weisheit versperrt. Beatrice, Dantes ideale Geliebte, die dieser bereits in seinem Erstlingswerk »Das neue Leben« verklärte und die immer wiederkehrendes Motiv seiner Dichtung blieb, ist für Blake Inbegriff verlockender Verderbnis, der sich der Dichter unterwarf. Auch in diesem Blatt, wo sie (nach Fegefeuer XXX, 31–81) im prächtigen Troß majestätisch erscheint als Venus-Madonna, umgeben von Evangelistensymbolen in Menschengestalt, wird die Bedrohung deutlich in den zahllosen Augen, dem reißenden Wirbel, dem unheilvollen Sog – eine Bedrohung durch die todbringende Hure Babylon, die Blake hinter der Maske von Beatrices Schönheit und Idealität verborgen glaubt.

William Blake: Beatrice spricht zu Dante
von ihrem Wagen herab, um 1824–1826
Aquarell, 36,5 x 52 cm
London, Tate Gallery

Benjamin West
1738–1820

Daß West ausgerechnet in London begeistert gefeiert wurde, ist kein Zufall. Es gelingt ihm, wie dieses Beispiel zeigt, die für England im 18. Jahrhundert so glorreiche Porträtmalerei mit dem neu erwachten Interesse an der Historienmalerei zu vereinen. Dabei kommt er dem englischen Publikumsgeschmack entgegen, weil er die historische Vorgabe nicht dazu verwendet, die Würde des Dargestellten ins Heroische zu steigern, und weil er die Einzelperson des Colonels nicht zum monumentalen Geschichtsträger hochstilisiert.

Johnson wird in lockerer Haltung gezeigt, über der Uniform trägt er einen indianischen Umhang, an den Füßen Mokassins. Hinter ihm steht im Halbdunkel ein Indianerhäuptling, der lächelnd auf den Sitzenden blickt und mit der Linken auf das friedliche Dasein seines Stammes verweist, das im Hintergrund sichtbar wird. Das frische, klare Gesicht des Colonels, die Attribute des Indianischen sowie der Häuptling selbst vermitteln den Eindruck einer gewaltlosen Freiheitsliebe, einer ehrlichen Kooperation. Das Porträt wird zum Bild eines Freiheitsglaubens, der durch die Selbstverständlichkeit des Auftritts und die freundlich-gelassene Haltung des Dargestellten nicht mehr hehres, unerreichbares und lebloses Ideal ist, sondern lebendig wird in der Gestalt dessen, der ihn praktiziert.

Benjamin West:
Colonel Guy Johnson, um 1775/76
Öl auf Leinwand, 203 x 138 cm
Washington, National Gallery of Art

John Singleton Copley
1738–1815

Die Historienmalerei großen Stils kann wohl als die Gattung der Malerei gelten, die das Rokoko am meisten vernachlässigt hat. In Frankreich erlebte sie mit den Ereignissen der Revolution eine vehemente Wiedergeburt. Aber während nun ein David die Bedeutsamkeit der Ereignisse dadurch zum Ausdruck brachte, daß er sie mittels antikischer Überlagerung in Pose, Rhetorik und Stil erhöhte, verzichtet Copley auf diesen Sockel. Er versetzt den Betrachter mitten hinein in das aktuelle Geschehen, macht sogar die Unordnung, das Durcheinander zum Mittel der Aktualitätssteigerung.

Der tote Major, der mit aufgelöstem Haar im Arm seiner Soldaten liegt, wird nicht auf den ersten Blick als Bildzentrum sichtbar. Die Unübersichtlichkeit der Situation, die Divergenz unterschiedlicher Gruppen verstärken die Erregtheit dieser Szene. Dennoch verfügt das Bild über eine pathetische Monumentalität. Die klagenden Frauen am rechten Bildrand, die voller Entsetzen mit ihren Kindern dem Schauplatz entfliehen, fungieren als rhetorisches Medium, um die Aufmerksamkeit auf den richtigen Punkt zu leiten. Eine von ihnen erhebt in großer Geste die Arme, die andere wendet sich zu der Leiche des Majors – und wir folgen ihren Blicken. Die Bedeutung des Ereignisses wird uns dadurch vergegenwärtigt, daß wir es selbst »entdecken«.

John Singleton Copley:
Der Tod Major Peirsons, um 1782–1784
Öl auf Leinwand, 247 x 366 cm
London, Tate Gallery

Johann Baptist Zimmermann
1680–1758

In seinem letzten Werk gelingt dem greisen Zimmermann ein Bild ungeheurer atmosphärischer Ausstrahlung und kompositioneller wie koloristischer Ausgewogenheit. Das Deckenbild insgesamt zeigt eine Allegorie blühenden Wohlstandes, der, im Einklang mit der Götterwelt, friedliches Glück ermöglicht. In der Hauptansicht erscheint in lieblichen arkadischen Gefilden die schöne Nymphe. Sie thront auf dem Treppenpodest einer Gartenarchitektur, die links einen Brunnen mit Rocailleverzierungen, rechts eine überwachsene Bogenpergola einschließt.

Nur ein zarter weißer Schleier verhüllt die Hüften der nackten Nymphengestalt; über der Brust trägt sie ein kleines blaues Tuch – Anspielung auf die bayerischen Farben Weiß und Blau. Eine schilfbekränzte Quellnymphe bringt ihr in einer Muschel Perlen und Korallen, die Früchte des Meeres, dar, eine andere weibliche Gestalt reicht ihr einen blütengefüllten Korb. So wie diese beiden Figuren die Elemente Wasser und Erde verkörpern, so wie der Brunnen auf das Wasser, die Laube auf die Erde verweisen, gehört auch die Nymphe beiden Bereichen an. Das Schloß Nymphenburg mit seinen Brunnen, dem Kanal, der Badenburg im Park wird als eine gebaute Idylle dargestellt. Die gesamte Anlage wird interpretiert als ein großes Nymphäum, in dem die Grenzen zwischen den Elementen aufgelöst sind.

Johann Baptist Zimmermann:
Die Nymphe als Symbolgestalt Nymphenburgs, 1757
Deckenfresko (Detail). München, Schloß Nymphenburg,
Steinerner Saal

Cosmas Damian Asam
1686–1739

Über dem ovalen Hauptraum der Klosterkirche setzt eine breite Hohlkehle zu einer Kuppel an; doch statt sie zu schließen, öffnet sich die Wölbung in einem zarten, von Engeln getragenen Diadem, das das Oval des Grundrisses wiederholt. Von unsichtbaren Fenstern erhellt, erstrahlt darüber die Glorie des benediktinischen Heiligenhimmels in einem säulengetragenen Rundtempel.

Schier unmöglich ist es dem Betrachter zu erkennen, daß der Bildträger dieses überkuppelten Schauplatzes nur eine Flachdecke, das Ganze also kein, wie oft behauptet, Kuppelfresko ist. Die Überführung des Ovals ins Rund gibt Asam Gelegenheit, Himmel in seiner konkretesten Form als Wolken zwischen den Säulen eindringen zu lassen; denn diese Wolken helfen, den Fußpunkt des (gemalten) Rundtempels auf der ovalen Deckenöffnung zu verschleiern. Ein dichteres Sinnbild für den Himmel als ein schwebender, wolkentragender und überkuppelter Säulenbau ist kaum denkbar. An der Hauptansichtsseite des Freskos blickt St. Georg zu Maria empor, die nach oben, zu Christus und Gottvater getragen wird, der eine Krone über ihr sternenumringtes Haupt hält. Es ist der Triumph der Kirche, der hier vor dem lichtdurchwirkten Goldgrund der Kuppel gerade deshalb so berückend ist, weil Asam die Architektur zum Verbündeten seiner Illusionskunst macht.

Cosmas Damian Asam:
Der Kirchenpatron St. Georg in
Anbetung Christi und Mariens, 1721
Deckenfresko (Detail). Weltenburg,
Klosterkirche St. Georg und Martin

Paul Troger
1698–1762

Der Kult des Märtyrers Sebastian – wahrscheinlich ein Opfer der Diokletianischen Christenverfolgung – ist schon in frühchristlicher Zeit nachzuweisen und erlebte eine ungebrochene Tradition bis ins 20. Jahrhundert. Die Szene, die Troger für sein Altarblatt wählt, bezieht sich auf die Legende, der zufolge der Heilige, Offizier der kaiserlichen Leibgarde, aufgrund seines Glaubens auf Befehl des Kaisers erschossen worden und durch die Pflege der Christin Irene, Witwe des Märtyrers Kastulus, wieder zu sich gekommen sei. Nach erneutem Bekenntnis zum Christentum sei er dann mit Keulenschlägen umgebracht worden.

Trogers Sebastian ist nicht der jugendliche Held barocker Darstellungen. Der noch nicht endgültig durchlittene Opfertod ist nicht von strahlender Heilsgewißheit. Es ist klägliches Dahinsiechen, schmerzvolles Leiden, das nicht einmal die historische Größe eines zentralen Ereignisses hat. Was sich hier abspielt, findet in einem schäbigen, dumpfen Abseits statt, unbeachtet von der Öffentlichkeit. Mit sachlicher Energie bindet ihn eine junge Frau los, fürsorglich zieht Irene einen Pfeil aus seinem Leib. Das Elend dieses Martyriums ist so nah wie der kranke Nachbar. Die Hilfe ist so pragmatisch und unheroisch, daß der Betrachter sie als selbstverständliche Handlung begreift – und damit auch die Lebensnähe und Anwendbarkeit christlichen Glaubens.

Paul Troger:
Der hl. Sebastian und
die Frauen, um 1746
Öl auf Leinwand, 60 x 37 cm
Wien, Österreichische Galerie

Matthäus Günther
1705–1788

Mit seinem Kuppelfresko »Triumph des Benediktinerordens« in der Klosterkirche von Münsterschwarzach hatte Johann Evangelist Holzer das stilistische, kompositionelle und inhaltliche Vorbild für Günther geliefert. Es war Holzers wegweisende Leistung, in einer Zeit sich ankündigenden Stilwandels zu einer individuellen Ausdrucksform gefunden zu haben, die zwischen Rokoko und Klassizismus vermittelte. In Rott am Inn verzichtet Günther auf die Scheinarchitektur, wie sie noch Holzer verwendet hatte. Die reale Architektur wird nicht mehr im Bild fortgesetzt, noch öffnet sie sich zu einer Himmelsillusion. Das Deckenbild ist ein tafelbildähnliches, an die Decke projiziertes Gemälde, das die starke Untersicht vermeidet, ein sogenanntes »quadro riportato«. Bereits 1761 hatte Mengs diese klassizistische Version der Deckenmalerei beispielhaft in der römischen Villa Albani verwirklicht. Der Ausschnitt aus dem Gesamtbild, das im Zentrum die Hl. Trinität zeigt, stellt auf konzentrisch angeordneten Wolkenrängen den Ordensgründer Benedikt dar, um den Engel die Symbole seiner Vita – der Keuschheit, der Enthaltsamkeit, des überlebten Mordanschlags (ein Giftkelch verweist darauf) und der Ordensregel – halten. Neu und bezeichnend für Günther ist das von Grau bestimmte Kolorit, das die lichten Farben eines Asam und Zimmermann verdrängt und auf den Klassizismus vorausdeutet.

Matthäus Günther:
Der Ordensstifter
St. Benedikt in der
Glorie, um 1761–1763
Deckenfresko (Detail)
Rott am Inn, Benediktinerklosterkirche

Franz Anton Maulbertsch
1724–1796

Im Hauptfresko der Gnadenkirche werden in Anspielung auf den Namen des Ortes die Auffindung des Kreuzes durch Kaiserin Helena gezeigt und dessen wundertätige Wirkung. Letztere leitet über zum Thema des Freskos über dem Orgelchor, wo die Pilger von Heiligenkreuz-Guttenbrunn erscheinen, die von der Gnadenquelle Heilung erhoffen. Der Lahme auf seinen Krücken, die Mutter mit dem kranken Kind und viele andere Sieche und Gebrechliche haben sich um die Quelle versammelt. Rechts blickt, bescheiden und freundlich, der Stifter selbst aus dem Bild – eines der frühesten Porträts von Maulbertsch. Die Gestalten sind in natürlicher Gruppierung in eine irdische Szene gesetzt, die eine Landschaft zeigt, die der in Tiepolos »Capricci« verwandt ist. Von einem Strahlenkranz umgeben schwebt in den Wolken das Gnadenbild der Muttergottes, zu dem einige Pilger betend aufsehen. Das lichte, heitere Kolorit mit seinen zarten Rosa- und Hellblautönen, den sanften Grünschattierungen der Bäume, der Helligkeit weißer Gewänder vermittelt die Zuversicht der Kranken. Hier gibt es keine Schatten, keine Bedrohung. Die Pilger verschmelzen zu einer volkstümlichen Gemeinschaft, deren Leiden in der Heilsgewißheit ihres Glaubens sublimiert erscheinen. Alltag und Wunder, Natur und poetisierte Phantasielandschaft sind hier zu einer überzeugenden Einheit geworden.

Franz Anton Maulbertsch:
Anbetung des Gnadenbildes, 1757
Deckenfresko (Detail)
Heiligenkreuz-Guttenbrunn, Orgelchor

Anton Raphael Mengs
1728–1779

In harmonischer, aber spannungsloser Komposition zeigt Mengs als zentrale Gestalt dieser Allegorie Klio, die Muse der Geschichtsschreibung, die zu einer janusköpfigen Jünglingsgestalt aufblickt. Diese repräsentiert, versinnbildlicht in den Polen zeitlichen Ablaufs (Jugend und Alter), die Geschichte selbst. Von der Auffassung her noch durchaus spätbarock, hockt davor Chronos mit seiner Sense als Allegorie der Zeit, von links trägt ein knabenhafter Genius mit efeubekränztem Haar Papyri herbei, wodurch einerseits auf die Funktion des Raums, eine Bibliothek, andererseits aber auf die Dichtkunst angespielt wird, deren Kennzeichen der Efeu ist und die mit zu den Quellen der Geschichtsschreibung gehört. Über dieser Gruppe verkündet Fama mit ihrer Posaune deren Ruhm.

Während Klio, Chronos und Fama zum traditionellen mythologischen Figurenpersonal gehören, ist die Gestalt der Geschichte eine allegorische Neuformulierung, die ein bezeichnendes Licht auf den Klassizisten und Theoretiker Mengs wirft. Selbstbewußt schreitet sie an der Zeit vorüber, ohne eigentlich von ihr berührt oder im Fortgang beeinträchtigt zu werden, und verweist auf die antiken Ausstellungsstücke des Museums sowie auf das Museum selbst: Geschichte wird hier als ebenso unvergänglich dargestellt wie Geschichtsschreibung.

Anton Raphael Mengs:
Allegorie der Geschichte,
um 1772/73
Fresko, 420 x 260 cm
Rom, Biblioteca Vaticana,
Sala dei Papiri

DEUTSCHLAND/ÖSTERREICH

Januaris Zick
1730–1797

Was zunächst wie eine Familienszene aussieht, entpuppt sich als eine eigentümliche Mischung aus Porträt, Genre und Mythologie. Der ältliche Hüttenwerksbesitzer in sonntäglichem Aufzug sitzt auf dem Rand eines steinernen Brunnens und unterweist einen kleinen Jungen mit fast erwachsenem Gesicht, der artig sein Haupt senkt und den Erklärungen lauscht. Der Mann hält in der Hand einen Brocken Urgestein, womit auch das Körbchen des Knaben angefüllt zu sein scheint. Ein zweiter kleiner Junge sitzt teilnahmslos am Boden. Hinter diesem tritt mit irritierender Selbstverständlichkeit Merkur auf.

Die Uneinheitlichkeit der Szene erklärt sich, wenn man von Merkur als dem Gott des Handels ausgeht. Er ist der Beschützer dessen, der sein Geschäft sinnvoll betreibt. Der Wohlstand des erfolgreichen Unternehmers ist augenscheinlich, im Hintergrund werden Werk und Grund sichtbar. Die Basis seines beruflichen Erfolges, über den Merkur schützend seine Hand hält, sind jedoch die klare, ernste Anweisung und deren Befolgen. Erziehung im weitesten Wortsinn ist hier als Grundlage des Erfolgs gezeigt – ein didaktisches und daher durchausklassizistisches Bildprogramm. Die besondere Qualität des Gemäldes liegt in der zwangslosen Bewältigung eines disparaten Vorwurfs: Die mythologische Göttergestalt ist in die trockene Tatsächlichkeit integriert.

Januarius Zick:
Der Hüttenherr
Gottfried Peter
de Requilé mit
zwei Söhnen und
dem Gott Merkur, 1771
Öl auf Leinwand,
96,7 x 83 cm
Bonn, Rheinisches
Landesmuseum

Johann Heinrich Wilhelm
Tischbein 1751–1829

In einem Brief an Lavater vom 9. Dezember 1786 berichtet Tischbein über seine Arbeit an diesem Porträt: »... auf denen Ruinen, wo vordiesem so grose Thaten geschahen, scheind ein lebenter Mann erst recht gros, es ist, als erkente man ihn besser.« Und er malt Goethe in klassischer Ruhepose auf einem Obeliskenbruchstück, dahinter ein antikes Flachrelief, ein ionisches Kapitell und in der Weite der kargen Campagna Reste antiker Aquädukte und das Grabmal der Cecilia Metella. Versatzstückhaft sind diese Denkmäler eingebracht, dem Requisitenfundus eines gebildeten Menschen entnommen, der so sein Stilbewußtsein dokumentiert. Archäologisch-historische Sachlichkeit mischt sich mit einer Empfindsamkeit, die die Antikenzitate zu Stimmungsträgern umfunktioniert.

Neu aber ist, wie Tischbein mit naiver Unbedingtheit seine Absicht realisiert. Vor dem Fragmentarischen wird die Ganzheit der Persönlichkeit spürbar, vor dem Ambiente des Vergänglichen die Vitalität, die nicht durch Aktion betont zu werden braucht, sondern allein durch ihre Präsenz und Geschlossenheit vermittelt wird. Die Wörtlichkeit, mit der ein Konzept ins Bild gesetzt wird, ist Schwäche und Stärke dieser Darstellung. Sie nimmt die Sinntiefe und hat etwas Kompilatorisches, bringt aber um so deutlicher den Zeitgeist zum Ausdruck, der einem neuen Geniekult huldigt.

Johann Heinrich Wilhelm Tischbein:
Goethe in der Campagna, 1787
Öl auf Leinwand, 164 x 206 cm
Frankfurt am Main, Städelsches Kunstinstitut

Luis Eugenio Meléndez
1716–1780

Die Gegenstände sind einfach, fast ärmlich in den Stilleben von Meléndez. Dennoch schmückten gegen Ende des 18. Jahrhunderts 45 seiner Gemälde das Königsschloß von Aranjuez. Schon in der ersten Hälfte des 17. Jahrhunderts hatte man in Spanien, angeregt von den Küchenstücken eines Aertsen oder Beuckelaer, zu einer ganz eigenen Ausformung des Stillebens gefunden, die sich von den großen Leistungen der Niederländer deutlich unterschied. Kennzeichnend dafür war von Anfang an neben der spezifischen Auswahl der Gegenstände – bäuerliches Geschirr, einfache Nahrungsmittel, Küchengerätschaften – die betont schlichte Anordnung. Was Meléndez innerhalb dieser Tradition herausragen läßt, ist nicht allein die ungeheure malerische Kultur, die Vielfalt an Oberflächencharakteren, sondern auch die Art der Darbietung. Die Dinge verweigern allegorische Deutbarkeit: Nicht nur eine Birne ist wurmstichig (um auf die Hinfälligkeit aller diesseitigen Existenz zu verweisen), sondern jede – sie scheinen von demselben kränkelnden Baum gepflückt zu sein. Indem Meléndez aber auf eine inhaltliche Vertiefung in dieser Richtung verzichtet, verstärkt er einen anderen Effekt. Vor dem dunklen, gegenstandslosen und eigentlich auch »raumlosen« Hintergrund werden die Dinge schonungslos dargeboten in ihrer banalen Alltäglichkeit.

Luis Eugenio Meléndez:
Stilleben mit Melone und Birnen, um 1772
Öl auf Leinwand, 64 x 85 cm
Boston, Museum of Fine Arts

Ramon Bayeu y Subías
1746–1793

Der Blinde sitzt auf einer Rasenbank in einem einstmals ansehnlichen, jetzt verwahrlosten leuchtend blauen Kostüm, einen gelbbraunen Mantel um die Schultern, die Drehleier auf dem Schoß. Etwas tiefer steht in zerlumptem grauen Gewand sein junger Begleiter, der die Kastagnetten schlägt; ein Hund, auf den Hinterbeinen tänzelnd, blickt zu ihm auf. Bayeu zeigt eine Bettlerszene, malt ein in Spanien traditionsreiches, ärmliches Genre. Aber dieses Bild zeigt Armut und Demut nur in den Gegenständen. Die Bildmittel sind dazu völlig konträr: Das strahlende Blau des Gewands korrespondiert mit dem leuchtenden Himmelsblau. Das Gesicht des Sängers – das Gesicht eines Märtyrers und das eines Dichters – wird feierlich von einem warmen Glanz erhellt, die Umrisse seiner Gestalt sind scharf und klar gegen den Hintergrund abgesetzt. Das kräftige Grün des Grases, das Königsblau des Gewands, das knapp, aber signalartig sichtbar werdende Rot der Weste verbinden sich zu einer erlesen-eleganten Harmonie. Und indem sich die Farbe des Himmels mit der des Bettlerkostüms verbündet, macht sie diesen zu einer großen, unvergeßlichen Erscheinung. Die farbliche Tektonik, die Klarheit des Bildaufbaus machen aus der Gestalt des blinden Sängers ein Denkmal. Die klassizistischen Stilmittel erweisen ihre Macht, indem sie den niederen Vorwurf monumentalisieren.

Ramon Bayeu y Subías:
Der blinde Sänger
Öl auf Leinwand, 93 x 145 cm
Madrid, Museo del Prado

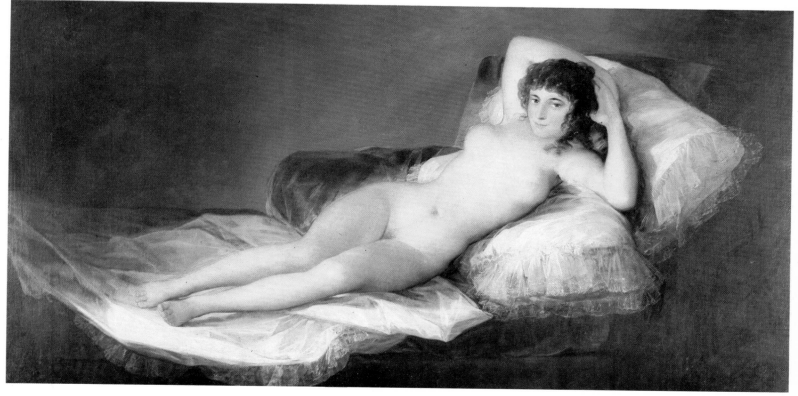

Francisco José de Goya
1746–1828

1797 reiste Goya in Gesellschaft der schönen und kapriziösen Herzogin von Alba durch Andalusien. Um 1797 entstanden die beiden »Maja«-Bilder. Dieser Umstand gab zusammen mit einer oberflächlichen Ähnlichkeit Anlaß zu Spekulationen. Doch auch ohne solche Projektionen behielten die Gemälde ihre Brisanz. Aber was machte sie zum Gegenstand zahlloser Diskussionen und Provokationen? »Maja«

bedeutet ein Mädchen aus dem Volk, das einen modisch-extravaganten Aufputz vorführt. Sie ist einfach und besonders, Teil des Volkes und Schauobjekt zugleich. Goyas Maja ist keine Venus, nicht sublimierte Sinnlichkeit in antikischer Gebärde, sondern die nackte Sinnlichkeit selbst. Der Schaulust setzt sie ein Sich-zur-Schau-Stellen entgegen. Ihre Pose ist eindeutig, ihre Herausforderung akut. Und Goya zeigt sie bekleidet und nackt: Nacktheit ist nicht mythologisches Attribut, sondern Ausgezogensein. Durch den Verzicht auf traditionelle Muster entsteht provokante Lebensnähe.

Francisco José de Goya:
Die bekleidete Maja, um 1797
Öl auf Leinwand, 95 x 190 cm
Madrid, Museo del Prado

Francisco José de Goya:
Die nackte Maja, um 1797
Öl auf Leinwand, 97 x 190 cm
Madrid, Museo del Prado

Francisco José de Goya
1746–1828

Puppenhaft starr steht der jüngste Sohn des Grafen von Altamira im Bild. An einer Schnur hält er eine Elster, die im Schnabel einen Zettel mit Namen und Daten des Jungen trägt und von drei Katzen mit gierigen Augen fixiert wird. Auf der anderen Seite steht zu Füßen Manuels ein Bauer mit Vögeln. Das Bild zerfällt in zwei Teile. In die Welt der gierigen Triebe (die Katzen), der Neugier (die Elster) und der Gefangenschaft (die Vögel), über der sich unbeteiligt und souverän der Knabe erhebt, der eine Welt der Freiheit und Undurchdringlichkeit repräsentiert. Dies ist kein kindliches Kind. Alle kindlichen Eigenschaften an ihm sind in ihr Gegenteil verkehrt: Es ist unbewegt, unverspielt, es ist nicht offen, sondern verschlossen, nicht heiter, sondern in seiner Stimmung nicht zu beschreiben. Über einer Sphäre feindlicher Gespaltenheit steht es als ein Ganzes.

In seinem Radierungszyklus »Caprichos« zeigt Goya Dirnen, die ihre geistlichen Kunden rupfen bzw. als Gerupfte verjagen. Er zeigt sie dabei wirklich als abstoßendes gerupftes Geflügel mit aufgesetzten Männerköpfen, als Sinnbild der Ausbeutung und Entblößung, durch die ihre wahre Kläglichkeit ans Licht kommt. In diesem Stilleben steht das Gerupfte und Nackte für die Brutalität der Wahrheit, die gewaltsam enthüllt worden ist. Ebensowenig wie dieses Bild den Betrachter in die tröstlichen Gefilde moralischer Erbauung entläßt, kann dieser der nackten Wahrheit entrinnen.

Eine Vorstudie zu diesem Gemälde zeigt anstelle der hellgekleideten Frauen Mönche und auf dem Banner die Aufschrift »mortus« – gestorben. Im Röntgenbild ist diese auch hier noch sichtbar unter der grinsenden Maske, die Goya nachträglich darübergemalt hat. Dabei wird klar, daß in beiden Fällen die gleiche inhaltliche Vorstellung zugrunde liegt, wobei die Vorstudie auf deren Herkunft verweist. Es ist das mittelalterliche Verkehrte-Welt-Spiel, in dem Riten und Gebräuche der Kirche – mit deren Erlaubnis – pervertiert werden in einer völligen Anarchie, der hernach um so deutlicher die Wiederherstellung der Ordnung folgt. Im Spanien der Inquisition werden die Mönche Goyas aus dem Programm gestrichen, die lakonische Eindeutigkeit des Wortes »mortus« wird durch eine Fratze ersetzt. Und deren Ausdruck ist nun wirklich ein Banner, das Motto des gespenstischen Treibens: die Abgründigkeit apokalyptischer Ausgelassenheit, die Verzerrung der Fröhlichkeit zur Bedrohung. Das Bild eines letzten, panisch-grotesken Festzugs im Angesicht des Todes ersteht vor uns. Militärs unter den Bettlern, Weibern und Kindern sind Sinnbilder aufgelöster Ordnung, die nicht wiederhergestellt werden kann und die von der hinter Masken verborgenen anonymen Volksmasse in einem verzweifelten Irrsinn zersetzt wird.

Francisco José de Goya:
Don Manuel Osorio Manrique
de Zúñiga als Kind, um 1787
Öl auf Leinwand, 110 x 80 cm
New York, Metropolitan Museum
of Art

Francisco José de Goya:
Gerupfte Pute, um 1810–1823
Öl auf Leinwand, 44,8 x 62,4 cm
München, Neue Pinakothek

Francisco José de Goya: Das Begräbnis der Sardine ▷
(Karnevalsszene), um 1808–1814
Öl auf Holz, 82,5 x 62 cm
Madrid, Academia de San Fernando

Francisco José de Goya:
Die Familie Karls IV., 1800
Öl auf Leinwand, 280 x 336 cm
Madrid, Museo del Prado

Francisco José de Goya
1746–1828

Goya war auf dem Höhepunkt seiner Karriere, als er im Frühjahr 1800 die königliche Familie porträtierte. Dabei ging er besonders gründlich vor, fertigte Skizzen und zehn Einzelstudien an und bestand auf langen Sitzungen, obwohl sich die Familie verärgert dagegen wehrte. Das vollendete Gemälde wurde jedoch angenommen und für gut befunden. Um so unverständlicher ist es, daß Studien wie ausgeführtes Bild heute meist als Karikaturen angesehen werden. Das aber heißt nicht nur, überheblich die – überliefert hohe – Intelligenz zum Beispiel María Luisas unterschätzen, sondern auch Goyas eigentliche Leistung für die Möglichkeiten des Porträts zu verkennen.

Indem Goya die historisch verbürgte Häßlichkeit der alten Infantin María Josefa und der Königin María Luisa oder die dumpfe Physiognomie des Königs wirklichkeitsgetreu abbildete, sie sogar noch verstärkte durch den Kontrast der hübschen Kinder, fand er eine neue Würdeform. Die alten Mittel der Idealisierung waren unglaubwürdig geworden. Goya entdeckt nun in der nichts beschönigenden Wahrheit eine neue Pathosform. Die latente Boshaftigkeit im Gesicht der Königin, die verlebten Züge des Königs, die verhärmte Altjüngferlichkeit der Infantin stören die Dargestellten selbst nicht. Das wird deutlich, wenn man den oft betonten kompositionellen Bezug zu »Las Meninas« von Velázquez nachvollzieht. Goya, der dieses Bild in Radierung und Aquatinta kopiert hatte, kannte dessen komplizierten und brechungsreichen Aufbau. Er zitiert dieses Vorbild sogar hier, wenn er sich, wie Velázquez, am linken Bildrand im Schatten verborgen vor der Staffelei darstellt.

Aber die bewußte Gegensätzlichkeit im übrigen ist aufschlußreich. Hier gibt es keine Spiegelbilder, kein Bild im Bild, keine Raumtiefe, keine ikonographischen Rätsel und labyrinthischen Bezüge. Eitel und schamlos drängen alle in die vorderste Reihe, ohne Interesse für den anderen. Ein Denkmal königlichen Selbstbewußtseins, für das moralische und ästhetische Werte keine Bedeutung haben.

Die Maler des Bandes

ASAM Cosmas Damian
1686 Benediktbeuren–1739 Kloster Weltenburg

Seine erste Ausbildung erhielt Cosmas Damian zusammen mit seinem jüngeren Bruder und späteren Mitarbeiter Egid Quirin bei seinem Vater Hans Georg Asam, der als Begründer der barocken Deckenmalerei in Bayern gilt. Die Brüder reisen 1712–1714 nach Rom, wo Cosmas Damian bei Pierleone Ghezzi in die Lehre geht und einen Akademiepreis erringt. Seine besondere Aufmerksamkeit schenkt er der hochbarocken Wand- und Deckenmalerei, vor allem Cortonas und Pozzos, der 1702 seine Regeln der »Quadratura«, das heißt der illusionistisch-perspektivischen Deckenmalerei mit Scheinarchitektur in einem Lehrbuch niedergelegt hatte. Die Arbeiten, die er nach seiner Rückkehr in Süddeutschland, Böhmen, Schlesien und Tirol ausführt, verraten seine römische Schulung.

Allmählich aber löst er sich von der italienischen Quadraturmalerei und ihrem völlig auf den Betrachter ausgerichteten Illusionismus (Weingarten, Aldersbach). In dem Hauptfresko von Osterhofen schließlich verlangt jede Seite nach ihrem eigenen Blickpunkt. In den kirchlichen und weltlichen Aufgaben, bei denen, wie zum Beispiel in Weltenburg an der Donau 1716–1721, der jüngere Bruder als Bildhauer und Stukkateur mitarbeitet, entstehen spätbarocke Gesamtkunstwerke, die von grundlegender Bedeutung für das süddeutsche Rokoko werden sollten.

BAYEU Y SUBIAS Ramón
1746 Saragossa–1793 Aranjuez

Wie sein Bruder Manuel steht auch Ramón Bayeu im Schatten seines Bruders Francisco, der nicht zuletzt als Schwager Goyas seinen festen Platz in der Kunstgeschichte behauptet. Als Schüler Franciscos begleitete er diesen 1763 nach Madrid. Dort arbeitete er in einem künstlerischen Klima, das von den beiden Polen Spätbarock und Klassizismus bestimmt wurde, wie sie in der Person des alten Giovanni Battista Tiepolo einerseits und des einflußreichen, immer mehr zum Geschmacksdiktator werdenden Anton Raphael Mengs andererseits verkörpert wurden. Ramón nimmt dabei keine so eindeutige Partei wie sein Bruder. In der gemeinsam ausgeführten Freskenausstattung der Kathedrale von Saragossa zum Beispiel ist der klassizistische Einfluß unverkennbar dominant. In seinen Porträts, vor allem aber in seinen Radierungen, die er teils nach eigenen Vorwürfen, teils nach denen seines Bruders und älterer Meister ausführt, wirken Technik und pittoreske Grazie Tiepolos nach.

BELLOTTO Bernardo
(genannt: Canaletto; auch: Belotto)
1721 Venedig–1780 Warschau

Bellotto begann mit 15 Jahren seine künstlerische Ausbildung in der Werkstatt seines Onkels Antonio Canal und übernahm nicht nur dessen Spezialisierung auf die Vedutenmalerei, sondern auch weitgehend den Stil des Älteren, schließlich sogar dessen Namen Canaletto. Wie sein Onkel begab auch er sich nach Rom und vielleicht in die Toskana. Er war an verschiedenen Orten in Italien, in der Lombardei und in Turin, tätig, bevor er 1746 nach England reiste. Ein Jahr später erfreute er sich in Dresden der Wertschätzung Augusts des Starken. In Wien arbeitete er für Maria Theresia und den österreichischen Hochadel, über München kehrte er 1762 nach Dresden zurück, wo er nach Verlust seiner Stellung als Hofmaler an der 1764 gegründeten Akademie als Lehrer für Perspektivmalerei unterrichtete. Seßhaft wurde Bellotto erst am Warschauer Hof, wo er 1768 Hofmaler unter Stanislaus II. wurde.

Die enge Zusammenarbeit von Onkel und Neffe erschwert bei einer Reihe von Bellottos Frühwerken die Trennung vom Spätwerk seines Lehrers. Ein kühleres Kolorit und eine noch größere Genauigkeit seines topographischen Realismus unterscheiden sein selbständiges Œuvre von jenem Canals. Seine Hauptwerke wie die 14 Dresdner Veduten oder die Ansicht von Warschau weisen ihn als seinem Onkel ebenbürtig aus. Die topographischen Aufnahmen der europäischen Residenzstädte sind wegen ihrer Genauigkeit und Treue eine wichtige historische Quelle.

BLAKE William
1757 London–1827 London

Schon als Kind hatte Blake, Sohn eines Strumpfwirkers, visionäre Erlebnisse, wie sie für die eigentümliche Verbindung von Bildkunst und Dichtung in dieser »prophetischen« Künstlerpersönlichkeit charakteristisch sind. Mit zehn Jahren erhielt er Zeichenunterricht bei Henry Pars, später erlernte er die Techniken des Kupfertiefdrucks bei James Basire, für den er mittelalterliche Bildwerke zeichnete. Seine selbständigen Arbeiten lassen schon früh seine Vorbilder erkennen, von denen Michelangelo und dessen ins Titanische gesteigerte Menschengestalten am wichtigsten werden sollten. Blakes Studium an der Royal Academy, das er 1778 begann, verwickelte ihn in einen Streit mit Reynolds über den Vorrang von Farbe oder Zeichnung, in dem Blake den klassizistischen Standpunkt vertrat, der in seinem gesamten Schaffen als Verzicht auf koloristische sinnliche Wirkungen zum Ausdruck kommt. Blakes Illustrationen zur Bibel, zu Dante oder zu eigenen Dichtungen lassen die herkömmliche Beziehung von Bild und Text hinter sich und schaffen eine symbolistische Einheit von Wort und Bild, die erst Jahrzehnte nach seinem Tod rezipiert wurde.

BOUCHER François
1703 Paris–1770 Paris

Sein Vater, ein Entwurfszeichner für Stickmuster und Ornamente, gab den Siebzehnjährigen zu François Lemoine in die Lehre. Angeblich blieb er dort nur drei Monate, um dann bei dem Kupferstecher Jean François Cars zu arbeiten. Schon 1723 bekam er den Grand Prix de Rome, doch ging er erst vier Jahre später nach Italien. Nach seiner Rückkehr 1731 wurde er als Historienmaler in die Akademie aufgenommen und 1734 deren Mitglied. Eine glänzende Laufbahn führte ihn von der Professur, dem Rektorat und dem Direktionsposten der Akademie zur Leitung der Königlichen Gobelinmanufaktur (1755) und schließlich zur Ernennung als »Premier Peintre du Roi« (1765).

Die wesentlichen Quellen, aus denen der junge Boucher seinen Stil entwickelt, sind Abraham Bloemart, Rubens und Watteau. Pastorale und Idylle durchziehen in jugendlichen, bisweilen kindlichen Diminutiven sein Werk. Eine raffinierte Künstlichkeit kennzeichnet seine Naturdarstellungen, unter denen es auch die reine Landschaft als Bildaufgabe gibt. Die Erotik seiner Schäferinnen und Schäfer ist die Delikatesse der Unschuld. Auch die Mythologie mit Venus im Mittelpunkt des Interesses wird nur im Sinne des Amourösen und Sinnlichen behandelt, alle heroischen Seiten sind so gut wie vergessen; an die Stelle des Olymps ist das aus der Schlüssellochperspektive gesehene Boudoir getreten. Auch als Porträtist ist Boucher der Maler, in dessen Werk sich das Rokoko am ungetrübtesten verwirklicht (»Marquise de Pompadour«, London, Wallace Collection, und München, Alte Pinakothek). Boucher hat in seinen letzten Schaffensjahren noch die erbitterte Kritik der neuen Moral und des neuen Pathos zu spüren bekommen, wie sie Diderot verfocht.

CANALETTO → Bellotto

CANALETTO
(Giovanni Antonio Canal)
1697 Venedig–1768 Venedig

Canaletto erlernte als Sohn eines Bühnen- und Perspektivmalers das Handwerk der Theatermalerei, was für sein späteres Werk von entscheidender Bedeutung werden sollte. 1719 knüpfte er in Rom Kontakte zu dortigen Vedutenmalern. Die Bekanntschaft mit Pannini, Vanvitelli und Carlevarijs schlägt sich in seinen frühen Arbeiten in der kräftigen, kontrastreichen Licht- und Schattenbehandlung nieder. Neben der Vedute hat Canaletto in seiner Frühzeit auch Architekturphantasien und Ruinencapricci gemalt. Seine Bilder waren vor allem bei englischen Sammlern begehrt, und er stand in Kontakt mit Handelsagenten, die seine Hauptabnehmer wurden. Reisen nach England folgten der Nachfrage von dort, wo er Ansichten von London und die Landsitze seiner Auftraggeber malte.

Diese Veduten sind bereits in dem neuen aufgehellten und kristallklaren Kolorit gearbeitet, das Canalettos Palette seit den dreißiger Jahren bestimmt – Eigenschaften, die er bis zu einem gewissen Grade auch in seine Graphik zu übernehmen verstand. Die Vermeidung kräftiger Hell-Dunkel-Kontraste im mittleren und späten Werk hat zu der irrigen Auffassung geführt, Canaletto habe sich zu einem Maler antibarocker Richtung gewandelt. In Wahrheit gehört seine Lichtmalerei in den barocken Kontext, auch wenn seine Entdeckungen in der farbigen Wiedergabe des Fernbildes der Freilichtmalerei des 19. Jahrhunderts den Weg bereitet haben.

CARRIERA Rosalba
1675 Venedig–1757 Venedig
Als Schülerin Giuseppe Diamantinis und Antonio Balestras machte sich Rosalba Carriera zunächst einen Namen als Miniaturporträtistin. August der Starke, König von Polen, ließ sich wiederholt von ihr porträtieren. Von ihrem Schwager Giovanni Antonio Pellegrini wurde sie offenbar zur Pastellmalerei angeregt. Mit ihrer konsequenten Anwendung dieser Technik auf das Porträt und der bis dahin unbekannten Perfektion in der Ausschöpfung der malerischen Möglichkeiten, die in dieser Zwischenform von Zeichnung und Malerei verborgen lagen, wurde die Carriera, wenngleich nicht zur Erfinderin des Pastells, so doch zur Schöpferin einer neuen, die Physiognomie des Zeitalters entscheidend charakterisierenden Bildform. Mit dreißig wurde sie Mitglied der Accademia di San Luca in Rom. Ihre Reise nach Paris 1720, wo sie Ludwig XV. als Dauphin malte (Dresden, Gemäldegalerie) und mit Watteau Bilder tauschte, wurde von großer Bedeutung für die französische Pastellmalerei.

CHARDIN Jean-Baptiste Siméon
1699 Paris–1779 Paris
Sein Vater, Kunstschreiner und Rechtsberater seiner Zunft, schickte seinen Sohn zunächst zu einem unbedeutenden Lehrer, von dem er 1720 zu Nicolas Coypel wechselte, der ihn bis 1728 als Maler ausbildete. Seit 1724 war er auch in der Akademie von St.-Luc eingeschrieben. Zusätzliche Erfahrungen erwarb er sich bei der Restaurierung der Fresken von Rosso und Primaticcio in Fontainebleau, mit der van Loo betraut worden war. 1728 gewann er erstmals Aufmerksamkeit und Anerkennung durch die königliche Akademie, als er in der »Exposition de la Jeunesse« ausstellte, unter anderem das berühmte Stilleben »Der Rochen« (Paris, Louvre). Kurz darauf wurde er unter Fürsprache von Largillière als »Tier- und Früchtemaler« in die Akademie aufgenommen.

Danach erweiterte Chardin, der seit 1737 im Salon ausstellte, seinen Themenkreis der Stilleben durch Genrebilder, doch diese beiden Gattungen standen in der akademischen Hierarchie an unterster Stelle. 1740 stellte er dem König die Gemälde »Die fleißige Mutter« und »Das Tischgebet« (beide Paris, Louvre) vor und wurde durch dessen Gunst 1743 zum beratenden Mitglied der Akademie ernannt. In den fünfziger und sechziger Jahren erlebte er den Höhepunkt öffentlicher Anerkennung, seine Stilleben wurden hoch geschätzt, doch Chardin versuchte sich nun – mit wenig Erfolg – auch als Porträtist.

Chardin hat in der Akademie ehrenvolle Ämter bekleidet, die er jedoch 1774 wegen eines Augenleidens niederlegte. Wenig später fiel sein Freund, der einflußreiche Stecher Cochin, der Chardin zahlreiche Aufträge verschafft hatte, in Ungnade. Kurz darauf war das Zeitalter Chardins zu Ende, der neue Klassizismus hatte weder für seine Malweise noch für seine Thematik mehr etwas übrig. Erst das 19. Jahrhundert hat Chardin wiederentdeckt. Daran haben neben den Brüdern Goncourt vor allem die Maler des Impressionismus Anteil, die mit ihrem neuen Sinn für die Wirkungen des Lichts in Chardin den letzten überragenden Meister des Ancien Régime sahen.

COPLEY John Singleton
1738 Boston–1815 London
Nach dem Tod seines Vaters, eines Tabakhändlers irischer Abstammung, erhielt Copley ersten Unterricht bei seinem Stiefvater, dem Schabkünstler Peter Pelham. Als Maler war er weitgehend Autodidakt, der sich an Kopien nach alten Meistern und Druckgraphik bildete und begierig jede authentische Quelle der europäischen zeitgenössischen Malerei nutzte. Mit 22 Jahren galt er als gefragter Porträtist und erhielt Aufträge aus New York, Philadelphia und Kanada. Seit 1765 beteiligte er sich an den Ausstellungen in London und fand das Interesse seiner englischen Kollegen. 1774 reiste Copley endlich nach England, um der Einladung Wests zu folgen, seine Technik zu vervollkommnen. Nach einer kurzen, aber äußerst intensiven Studienreise auf den Kontinent malte er in London einige aufsehenerregende Historienbilder wie »Brook Watson, von einem Haifisch angegriffen« (1778, Boston, Museum of Fine Arts), deren aktueller Zeitbezug revolutionär wirkte. Seine assoziierte (1775) und seit 1783 volle Mitgliedschaft in der Royal Academy ist auch Zeichen einer inneren Angleichung seines Stils an europäische Konventionen, denen Copley in seinen letzten Schaffensjahren zunehmend erlag.

DAVID Jacques-Louis
1748 Paris–1825 Brüssel
Davids Anfänge wurzeln noch ganz in der Malerei des Rokoko. Seine Erziehung war nach dem frühen Tod seines Vaters, eines Kurzwarenhändlers, in die Hände seiner beiden Onkel, eines Architekten und eines Maurermeisters, gelegt worden, die sein künstlerisches Talent verständnisvoll förderten. Boucher wurde sein Freund und Berater, er empfahl ihm, zu Vien in die Lehre zu gehen, der ihn 1766 sorgfältig ausbildete. Eine Reihe von Versuchen, den ersten Preis der Akademie zu erringen, schlug fehl und brachte David an den Rand der Verzweiflung. Endlich erhielt er den Preis im Jahre 1774, was ihm den Weg nach Rom öffnete, wohin sein Lehrer Vien soeben als Direktor der französischen Akademie berufen worden war. David zeichnete mit außerordentlicher Hingabe nach der Antike. Rom wurde zum Schlüsselerlebnis, das seine Wandlung vom Rokokomaler zum Klassizisten bewirkte.

Nach seiner Rückkehr aus Rom wurde er 1781 zur Akademie zugelassen, zwei Jahre später festes Mitglied. Neben Porträts malte David ausschließlich Historienbilder mit antiken Themen. Seine Gesinnung drückt wohl am vollkommensten der »Schwur der Horatier« (Paris, Louvre) aus, zu dessen Vollendung David eigens mit seiner Familie nach Rom reiste, wo das Gemälde, nicht anders als im Pariser Salon von 1785, einen triumphalen Erfolg hatte. David engagierte sich politisch auf der äußersten Linken der Revolution, er stimmte für den Tod des Königs. 1794 führte er den Vorsitz im Konvent und hob die Akademie auf. Seinem Eintreten für Künstler und Kunstwerke sowie für den Schutz mittelalterlicher Denkmäler verdankt die französische Kunstgeschichte viel. Nachdem auch ihm zeitweilige Inhaftierung nicht erspart worden war, schließt er sich Napoleon an und wird 1804 zum ersten Maler des Kaisers ernannt. Nach dem Sturz Napoleons wird Brüssel zum Schaffensort seiner letzten Jahre. Heute sind es weniger die großen Historienbilder als die Porträts, die Davids Ruhm wachhalten. Als Lehrer der meisten bedeutenden französischen Maler des 19. Jahrhunderts ist er der eigentliche künstlerische Begründer der neuen Epoche.

DUPLESSIS Joseph-Siffred
(auch: Silfrède Duplessis)
1725 Carpentras–1802 Versailles
Sein Vater war Chirurg und gab seinen Beruf auf, um sich ganz der Malerei zu widmen. Von ihm erhielt Duplessis seinen ersten Unterricht. In Rom schloß er Bekanntschaft mit Vernet und Subleyras, dessen Schüler er wurde. 1749 kehrte er in seine Geburtsstadt zurück und malte Landschaften für das dortige Hospital. 1752 ging er nach Paris und stellte sich an der Akademie mit dem Porträt des Abbé Arnaud vor (Carpentras, Musée Duplessis). 1774 wurde er Akademiemitglied und Hofmaler Ludwigs XV. Wohl am bekanntesten ist sein grandioses Bildnis des Komponisten »Christoph Willibald Gluck am Spinett« (Wien, Kunsthistorisches Museum). Im Alter fast blind und taub geworden, verließ er 1792 seine Wohnung im Louvre und lebte in der Kartause von Villeneuve-lès-Avignon, wo er schon als Kind vier Jahre verbracht hatte. 1796 ließ er sich wieder in Paris nieder, um das Amt eines Konservators des Museums in Versailles auszuüben.

FRAGONARD Jean-Honoré
1732 Grasse–1806 Paris
Fragonard wurde als Sohn eines Handschuhmachers und Gerbers geboren. Er kam schon als Kind nach Paris und wurde zunächst Gehilfe eines Notars, dem das künstlerische Talent des Jungen nicht verborgen blieb. Von der ersten Lehre bei Chardin, in die er 1747 kam, wechselte er schon ein Jahr später zu Boucher über, der zuvor seine Aufnahme wegen mangelnder Vorkenntnisse abgelehnt hatte. Boucher meldete ihn für den Rom-Wettbewerb des Jahres 1752 an, den er gewann. Nachdem Fragonard drei Jahre an der »Ecole des élèves privilégés« unter van Loo gearbeitet und sich viel mit niederländischer Malerei beschäftigt hatte, wurde er in die Académie de France in Rom aufgenommen. Er bereiste Italien und bewarb sich, nach Paris zurückgekehrt, auch dort erfolgreich um die Aufnahme in die Akademie. Bald aber verzichtete er wieder auf die Mitgliedschaft, die seinen künstlerischen Interessen – er war als Historienmaler in die Akademie eingetreten – und seinen gesellschaftlichen Neigungen offenbar nicht entgegenkam. Die Themen dieser Jahre zwischen 1765 und 1770 sind vor allem erotisch-galante. Daneben entstanden auch Landschaften und Porträts. »Die Schaukel« (London, Wallace Collection) von 1767 gehört dieser Periode zu. Mit prominenten Auftraggebern wie Madame Dubarry hatte Fragonard wenig Glück.

Auch in seiner letzten Schaffensphase bleibt Fragonard der grandiose Kolorist, der er zeitlebens gewesen war. In Bildern wie »Der Liebesschwur« (Orléans, Musée de Peinture et de Sculpture) oder »Das Rosenopfer« (Buenos Aires, Museo Nacional de Arte Decorativo) wird das Pathos einer klassizistisch monumentalisierten Leidenschaftlichkeit deutlich. Die

Wirren der Französischen Revolution überstand Fragonard durch die Protektion Davids, aber die neue Generation, zumal die kaiserliche Ära, hatte keine Verwendung mehr für seine letztlich immer noch dem Rokoko verhaftete Ästhetik. Nachdem er 1806 seine Wohnung im Louvre verlassen mußte, starb er im selben Jahr fast völlig vergessen.

FÜSSLI Johann Heinrich
(auch: Füßli, Fuessli, Fueslin, Füßlin; in England: Henry Fuseli, Fuseli)
1741 Zürich–1825 Putney Hill (heute zu London gehörig)
Füssli wurde als zweiter Sohn des Züricher Porträtisten und Schriftstellers Johann Caspar Füssli geboren. Dem frühen Kontakt mit den Lehren Johann Jakob Bodmers verdankte er seine Vertrautheit mit den Gestalten der Weltliteratur, die eine der Hauptquellen seiner künstlerischen Inspiration werden und bleiben sollte. 1761 zum reformierten Geistlichen zwinglianischer Richtung ordiniert, verließ er Zürich zwei Jahre später aus politischen Gründen und ging über Berlin nach London, das seine neue Heimat wurde. Seinen Lebensunterhalt bestritt Füssli anfangs durch literarische Arbeiten. Wichtig ist darunter seine Übersetzung von Johann Joachim Winckelmanns »Gedanken über die Nachahmung der griechischen Werke«.

Füssli befaßte sich künstlerisch mit Illustrationen der Werke seiner bevorzugten Autoren, vor allem Shakespeares. Es war Reynolds, der ihm riet, sich ganz auf die bildende Kunst zu verlegen. Er bereiste Italien, lernte Florenz, Venedig und Neapel kennen und lebte acht Jahre lang in Rom. Diese Reise, auf der Michelangelos Monumentalstil tiefe Spuren in seinem künstlerischen Empfinden hinterließ, prägte ihn nachhaltig. Nach einer kurzen Unterbrechung seiner Rückkehr aus Italien in Zürich entfaltete er in London eine umfangreiche malerische Tätigkeit. Aufsehen erregte die Ausstellung seiner wohl populärsten Komposition »Der Nachtmahr« (Detroit, Institute of Arts, und Frankfurt am Main, Goethe-Museum) in der Royal Academy, in die Füssli 1790 als Mitglied gewählt wurde. Füsslis stilgeschichtliche Bedeutung liegt in seinem frühen romantischen Klassizismus, der ihn zu einer eigentümlichen Monumentalisierung des Traum- und Geisterhaften finden ließ. Seine oft mißverstandene Bedeutung als Kolorist liegt in einer neuartigen zeichnerischen Behandlung der Bildfarbe.

GAINSBOROUGH Thomas
1727 Sudbury (Suffolk)–1788 London
Gainsborough kam als fünfter Sohn eines wohlhabenden Tuchfabrikanten zur Welt. Seine früh zutage tretende Zeichenbegabung durfte er im Alter von 13 Jahren in London ausbilden. Er lernte bei dem französischen Stecher Gravelot, einem Schüler Bouchers. Neben den Einflüssen des französischen Rokoko, die er auch durch das Studium bei Hayman an der St. Martin's Academy vermittelt bekam, ist vor allem die holländische Landschaftsmalerei des 17. Jahrhunderts, die er schon früh kopierte und restaurierte, von großer Bedeutung für Gainsboroughs eigene Landschaftsmalerei geworden, wie er sie neben dem französischen Schä-

feridyll zwischen 1747 und 1759 in Sudbury und Ipswich pflegte. Die 1746 heimlich vollzogene Eheschließung mit Margaret Burr, einer natürlichen Tochter des Herzogs von Beaufort, sicherte ihm wirtschaftliche Unabhängigkeit.

Während die reine Landschaft sich in England keiner sehr hohen Wertschätzung erfreute, gelang es Gainsborough in der Verbindung von ganzfigurigem Bildnis und Landschaft, die meist den Landbesitz der porträtierten Adeligen darstellte, eine neue Arkadien-Version von nüchterner englischer Auffassung zu begründen. 1759 übersiedelte Gainsborough in den vornehmen Kurort Bath, wo er, als begehrter Porträtist mit Aufträgen überhäuft, seinen Stil durch das Studium der Bildnisse van Dycks, die er in den Landhäusern der Umgebung von Bath sehen konnte, weiterbildete. 1774 verlegte er seinen Wohnsitz nach London, wo es galt, sich gegen Reynolds und seinen Schülerkreis zu behaupten. Ein wachsendes Interesse an Beleuchtungseffekten, wie sie durch die Experimente des Theatermalers Loutherbourgh populär wurden, macht sich bemerkbar. Es gelingt Gainsborough, zum bevorzugten Porträtisten der königlichen Familie zu werden. 1782 malte er in Windsor eine Serie von ovalen Bildnissen des Königspaares und seiner 13 Kinder.

Nach Streitereien mit der Royal Academy, der er als Gründungsmitglied seit 1768 angehörte, machte er sich vom offiziellen Ausstellungsbetrieb frei und veranstaltete in den achtziger Jahren Sommerausstellungen in seinem Privathaus. Die letzten Schaffensjahre sind gekennzeichnet durch einen empfindsamen poetischen Stil, der sich durch einen ätherischen Kolorismus auszeichnet. Aus dieser Zeit stammen auch die berühmten »Fancy pictures«, jene Serie, in der Gainsborough, über sein Vorbild Murillo hinausgehend, das Thema des kindlichen und ländlichen Genres auf empfindsame Weise in einem altmeisterlichen brauntonigen Tenebroso variiert. Gainsboroughs Landschaftsmalerei ist wegweisend geworden. Anders als sein überaus persönlicher Porträtstil und die kurzlebige Mode der »Fancy-pictures«-Nachahmung, hat sie für die Landschaftskunst des 19. Jahrhunderts eminente Bedeutung gehabt.

GOYA Francisco José de
(Francisco José de Goya y Lucientes)
1746 Fuendetodos (bei Saragossa)–1828 Bordeaux
Goya ging bei José Luzan, einem Schüler Giordanos und Solimenas, in Saragossa in die Lehre. Dann zog er nach Madrid und trat in das Atelier Francisco Bayeus ein, seines späteren Schwagers, der unter Anton Raphael Mengs am Hofe Karls III. arbeitete. Von diesem wurde Goya nach einer Italienreise 1770/71 in die königliche Teppichmanufaktur berufen. 1780 wurde er Mitglied der Real Academia de San Fernando, zu deren zweitem und erstem Direktor man ihn wählte. Nachdem er seit 1781 königliche Aufträge ausgeführt hatte, erfolgte 1786 die Ernennung zum Hofmaler, 1789 zum Maler der königlichen Kammer und 1799 zum ersten Maler des Hofes.

Während Goya im Verlauf dieser Karriere durchaus als Vertreter einer spanischen Spielart des Rokoko, in dem sich französische und italienische Elemente verbinden, angespro-

chen werden darf, ändert sich ab 1792 sein Stil grundlegend. In diesem Jahr erkrankte Goya schwer und wurde in der Folge völlig taub. In einer Serie von Gemälden, die ohne Auftrag entstanden, werden bedrohliche und gespenstische Untertöne unter der Maske alltäglicher Volksszenen wach (»Das Begräbnis der Sardine«, »Die Prozession der Geißelbrüder«, »Das Irrenhaus«, »Die Inquisitionssitzung«, alle Madrid, Academia de San Fernando). Gleichzeitig entwirft er jene achtzig Radierungen der »Caprichos« (1799 veröffentlicht), in denen er, wie er schrieb, die »menschlichen Laster und Irrtümer zu geißeln« trachtete. Höhepunkt dieser das Nachtseitige und Abgründige menschlicher Existenz behandelnden Themen sind die »schwarzen Malereien« in der Quinta del Sordo (Madrid, Prado). Unter dem Druck der Restauration verließ Goya Spanien und emigrierte nach Bordeaux. Das zutiefst Fragwürdige der menschlichen Natur, wie es auch in Goyas Porträts zum Ausdruck kommt, hat erst das 20. Jahrhundert in seinem ganzen Ausmaß erkannt.

GREUZE Jean-Baptiste
1725 Tournus (Sâone-et-Loire)–1805 Paris
Greuze kam als sechstes von neun Kindern zur Welt. Sein Vater war Dachdeckermeister und wollte Jean-Baptiste zum Architekten ausbilden lassen. Der Sohn setzte sich jedoch mit seiner Begabung im Zeichnen durch und wurde schließlich 1749 in die Lehre bei dem Maler Charles Grandon nach Lyon gegeben. 1750 siedelte Greuze nach Paris über und studierte seit 1755 an der Akademie bei Natoire. Eine Italienreise, von der er schon zwei Jahre später zurückkehrte, blieb ohne tiefere Wirkung auf seine künstlerische Entwicklung.

Mit seiner Genremalerei traf Greuze einen Publikumsgeschmack, den es nach einer neuen moralischen Bildaussage in der Malerei verlangte und der so seiner Ermüdung am Verzicht des Rokoko auf eine Bildlehre Ausdruck gab. Themen wie »Der betrogene Blinde«, »Der von seinen Kindern bediente Paralytiker«, »Die vielgeliebte Mutter«, »Der undankbare Sohn« und »Der bestrafte Sohn« entzückten auch den einflußreichen Kritiker Denis Diderot, der diese Malerei als »Peinture morale« interpretierte und entscheidend zu Greuzes wachsendem Ruhm beitrug. Als literarische Parallele läßt sich etwa Jean-Jacques Rousseau anführen. Obwohl Greuze sich mit einem Historienbild um die Aufnahme in die Akademie bewarb, wurde er nur als Genremaler aufgenommen, was ihn überaus verbitterte. Während seine Genremalerei immer mehr heroische Züge der Historienmalerei aufnahm und der heutigen Kritik noch Probleme bereitet, erfreut sich seine Porträtkunst ungebrochener Wertschätzung.

GUARDI Francesco
1712 Venedig–1793 Venedig
In der Werkstatt seines älteren Bruders, mit dem er auch später zusammengearbeitet zu haben scheint, erhielt Guardi seine erste Ausbildung. Als Vedutenmaler geht er von Michele Marieschi und Canaletto aus, während sein Figurenstil gewisse Beziehungen zu Magnasco und zu Tiepolo, dem Schwager der Brüder, aufweist. Ähnlich wie Canaletto und Bellotto

folgt Guardi mit seiner Vedutenproduktion der großen Nachfrage aus dem Ausland, vor allem des englischen Kunsthandels. Jedoch tendierte er zunehmend von der exakten topographischen Aufnahme weg zur poetischen Phantasie, in der Teile fremder Vorlagen zu einem Capriccio venezianischer Stimmungswerte verdichtet werden. Seine sensible, nervöse Pinselführung bringt in unvergleichlicher Weise das Flimmern der Luft und die Lichtreflexe des Wassers zur Geltung und versetzt alle Bildgegenstände in leise zitterndes Vibrieren.

Daneben widmete sich Guardi auch der Figurenmalerei, wobei er erst um die Jahrhundertmitte mit eigenständigen Auftragsarbeiten hervortritt. Um 1770 entstand die zwölfteilige Serie der »Feste dogali«, in der die venezianischen Staatszeremonien geschildert werden. Francesco, dessen Arbeiten gelegentlich schwer von denen seines Bruders zu trennen sind, war überdies ein Graphiker, dessen mit hinreißender Spontaneität gezeichnete Blätter zum Besten des 18. Jahrhunderts gehören.

GÜNTHER Matthäus
1705 Tritschengreith (Oberbayern)–1788 Haid (bei Wessobrunn)
Nachdem er die Grundlagen in Murnau erworben hatte, bildete er sich weiter als Schüler und Mitarbeiter Cosmas Damian Asams. Mit Johann Evangelist Holzer, der jünger ist als Günther, hatte er keinen direkten Kontakt, erwarb jedoch aus dessen Nachlaß verschiedene Zeichnungen und kann als dessen legitimer künstlerischer Erbe angesehen werden. 1731 erhielt er in Augsburg die Meistergerechtigkeit und arbeitete in der Folgezeit als selbständiger Freskant. In 55 Jahren malte er mehr als sechzig Räume aus, worunter als Hauptwerke zu nennen sind die Benediktinerkirchen Amorbach und Rott am Inn, die Augustinerchorherrenkirchen Indersdorf und Rottenbuch, Pfarrkirchen in Sterzing, Mittenwald und Oberammergau und der Große Saal des Schlosses Sünching. Günther arbeitete in Bayern, Schwaben, Franken und Tirol und kann wohl als einer der bedeutendsten Repräsentanten süddeutscher Freskanten gelten.

HOGARTH William
1697 London–1764 London
1712 kam Hogarth, Sohn eines Schullehrers, zur Ausbildung zu einem Silberschmied und Graveur, wo sein Interesse für den Kupferstich geweckt wurde. Er studierte an der Vanderbank's Academy in St. Martin's Lane und an der Kunstschule des Hofmalers Thornhill, dessen Tochter er 1729 heiratete und dessen Werk Anlaß für Hogarths eigene lebenslange Ambitionen als Historienmaler wurde. Während er in dieser Sparte (»Sigismunda«, London, Tate Gallery, 1759) nie Erfolg haben sollte, gelangte er durch seine Stichserien »Harlot's Progress« (1732), »Rake's Progress« (1735) und »Marriage à la mode« (1742–1744) rasch zu Ruhm und Beliebtheit, so daß er sich rechtlich gegen Plagiate absichern mußte. Zu Unrecht als plump und dilettantisch beurteilt wird bis heute Hogarths sakrales Werk (»Himmelfahrts-Triptychon«, St. Mary Redcliffe, Bristol, 1756). Seine Vielseitigkeit beweist sich ebenso in origineller Theoriebildung (das antiakademische Traktat »Analysis of Beauty«, erschienen 1753) wie in

der Individualität seines Porträtstils (»Captain Thomas Coram«, London, Foundling Hospital, 1740). Wenngleich Hogarth, nach Thornhills Tod Leiter von dessen Kunstschule, keine direkte Nachfolge fand, wurde sein Werk dennoch zur Basis einer englischen Maltradition, vor allem im Bereich des Bildnisses.

KAUFFMANN Angelika
1741 Chur (Schweiz)–1807 Rom
Vom Vater, einem Vorarlberger Maler, schon frühzeitig gefördert und unterrichtet, malte bereits die Fünfzehnjährige beachtliche Pastellporträts. Auf ausgedehnten Italienreisen erwarb sie sich gründliche Kenntnisse durch Kopieren älterer Meister. Sie wurde Mitglied der Akademien in Florenz und Rom und durch die Begegnung mit Johann Joachim Winckelmann entscheidend in klassizistischer Richtung beeinflußt. Von 1766 an lebte sie 15 Jahre in London, wurde dort ebenfalls Mitglied der Akademie und arbeitete unter anderem mit dem Architekten Robert Adam zusammen. Nach Rom zurückgekehrt, wurde sie der Mittelpunkt eines schöngeistigen Salons, dem Goethe und Herder als Freunde angehörten. Ihre Porträts verdanken viel dem Einfluß von Reynolds und Mengs, ihre religiösen und mythologischen Historienbilder verraten das Studium der Antike aus dem Geiste Winckelmanns.

LANCRET Nicolas
1690 Paris–1743 Paris
Lancret erhielt seinen ersten Unterricht als Stecher und Zeichner und wurde mit 17 Jahren Mitarbeiter des Historienmalers Pierre Dulin in Paris. In diesem Fach blieb ihm jedoch die rechte Anerkennung versagt. Der erhoffte Rompreis der Königlichen Akademie blieb aus, und mit dem Eintritt in die Werkstatt Gilots, der auch der Lehrer Watteaus gewesen war, gab Lancret die Historienmalerei auf. Mit zwei Landschaften wurde er 1718 in die Akademie aufgenommen.

Von Anfang an ist der Einfluß Watteaus, mit dem er sich bald überwarf, in Lancrets Bildproduktion erkennbar und bestimmend gewesen. Nach einem abermals fehlgeschlagenen Versuch in der Historienmalerei 1723/24 widmete er sich der ländlichen Idylle, Schäferszenen und Landpartien. Mit Bildern wie »Die Schaukel« (London, Victoria and Albert Museum) wurde er zum Vermittler zwischen Watteau und Fragonard, deren poetische und malerische Qualitäten er allerdings nie erreicht hat. Als Illustrator hat Lancret nach Paters Tod die Serie der Fabeln La Fontaines fortgesetzt. Mit Ausnahme der »Tigerjagd« (Amiens, Musée de Picardie) und seiner Porträts ist Lancret dem sogenannten »Watteau-Genre« treu geblieben.

LARGILLIERE Nicolas de
1656 Paris–1746 Paris
Largillière hat seine künstlerische Ausbildung in Antwerpen erhalten, wo er 1672 Meister wurde. Zwei Jahre später ging er nach London, arbeitete bei dem gebürtigen Flamen Peter Lely und für den Hof. Wegen der Katholikenverfolgung kehrte Largillière 1682 wieder in seine Geburtsstadt Paris zurück, wo er Mitglied der Académie Royale wurde und als Aufnahmearbeit ein Porträt von Charles Le Brun malte.

1685/86 hielt er sich abermals in London auf, um das Königspaar anläßlich der Krönungsfeierlichkeiten zu porträtieren.

Largillière ist neben Rigaud der gesuchteste Bildnismaler in höfischen, adligen und bürgerlichen Kreisen. Als Lehrer – er wurde 1705 Professor an der Akademie – hielt er die flämische Tradition wach, die seit langem eine wichtige Rolle in der französischen Malerei spielte. So pflegte er als Porträtist die Gattung des Gruppenporträts und ist der Meister zahlreicher Stilleben.

LA TOUR Maurice Quentin de
1704 St.-Quentin–1788 St.-Quentin
Aus der beengenden Armut seiner Kindheit floh der Fünfzehnjährige nach Paris, lernte dort erst bei einem Radierer, dann bei dem Maler Jacques-Jean Spoëde. Auf Empfehlung eines englischen Gesandten geht er nach England, wo ihn die Porträtkunst van Dycks entscheidend beeindruckt. Nach Paris zurückgekehrt, widmet er sich der Pastellmalerei, wozu ihn der Aufenthalt Rosalba Carrieras in Paris 1720/21 angeregt haben dürfte. Nach Mißerfolgen mit technischen Experimenten gelangt er bald zu einer Vollkommenheit, mit der er alle Konkurrenten, auch Peronneau, in der Gunst des Hofes aus dem Felde schlägt.

La Tour hat höchste Anforderungen an seine Kunst gestellt, durch die sich die Ausführung seiner Werke oft schleppend lang hinzog. Neun Jahre läßt er die Akademie auf seine Aufnahmearbeit warten. Sein Porträt der Madame de Pompadour von 1755 (Paris, Louvre) und jenes des »Präsidenten de Rieux in seinem Arbeitszimmer« (Paris, Galerie Wildenstein) gehören zu den wenigen ganzfigurigen Porträts in Pastelltechnik. Die wache, behende Intelligenz, mit der La Tour die Gesichter seiner Zeitgenossen erfaßt, überträgt sich als Charaktereigenschaft auf deren Persönlichkeiten. Vier Jahre vor seinem Tod fiel La Tour in geistige Umnachtung.

LAWRENCE Thomas
1769 Bristol–1830 London
Thomas Lawrence wurde als 14. von 16 Kindern eines Zollinspektors und späteren Gastwirtes geboren. Eine frühe Neigung zum Schauspielen und Zeichnen lenkte die Aufmerksamkeit vornehmer Reisender auf den als Wunderkind geschilderten Knaben. Mit zehn Jahren porträtierte Lawrence fünfzig prominente Bürger von Oxford. Die Ausbildung des jungen Lawrence beschränkte sich auf ein wenig Unterricht in Pastell- und Ölmalerei, im wesentlichen hat er sich autodidaktisch im Studium privater Gemäldesammlungen gebildet. 1789 debütierte er mit einem Ganzfigurenporträt der Lady Cremorne (Bristol, City Art Gallery) an der Royal Academy. Für Reynolds hegte er tiefe Bewunderung und wurde nach dessen Tod sein eigentlicher Nachfolger. Lawrences schauspielerische Begabung hat sich auf das Verhalten der von ihm dargestellten Personen übertragen, wenn er sie in zitierten Posen und Attitüden agieren läßt. 1792 wurde Lawrence Hofmaler des Königs, zwei Jahre später Mitglied und 1820 Präsident der Royal Academy. Das Adelsdiplom erhielt er im selben Jahr 1815, in dem ihm auch der Auftrag zuteil wurde, die führenden Köpfe des Wiener

Kongresses zu malen. Lawrence hat mit seiner Porträtkunst entscheidend auf die viktorianische Malerei gewirkt.

LIOTARD Jean-Etienne
1702 Genf–1789 Genf
Liotard stammte aus einer französischen Familie. In Genf erhielt er eine erste Ausbildung als Miniaturmaler und Stecher. 1723 wird Jean-Baptiste Masse in Paris sein Lehrer. Die Bekanntschaft mit Lemoine führte ihn zur Pastelltechnik und zum Porträt. Einer Reise nach Rom, auf der er nach alten Meistern und mit Vorliebe nach Correggio kopiert, folgt eine zweite in den Orient in Begleitung von Sir William Ponsby im Jahre 1738. Während seines fünfjährigen Aufenthaltes in Konstantinopel nahm er türkische Sitten und Gewohnheiten an. In Wien malte er die kaiserliche Familie Maria Theresias und das berühmte »Schokoladenmädchen« (Dresden, Gemäldegalerie). Als Porträtist war er in Venedig, Lyon, Paris und London tätig, bevor er sich 1757 endgültig in seiner Vaterstadt niederließ. Seine charakteristische helle Palette wandte er auf eine detailgenaue Wiedergabe einer fast schattenlosen Gegenstandswelt an, deren makellose glatte Oberflächen nicht zuletzt auch den gelernten Emailmaler verraten, der Liotard gewesen ist.

LONGHI Pietro
(Pietro Falca)
1702 Venedig–1785 Venedig
Longhi lernte, wie auch andere Venezianer des Rokoko, in Bologna; zuerst bei Antonio Balestra, dann bei Giuseppe Maria Crespi. Um 1730 lebte er wieder in Venedig. Als Maler religiöser Themen war ihm ebenso wie in der Historienmalerei, der er sich anfänglich widmete, kein Erfolg beschieden. Unter dem Eindruck Crespis widmete er sich seit den vierziger Jahren dem Genre und wurde zum gesuchten Schilderer des venezianischen Volkslebens. Unter dem Einfluß Watteaus und der Watteau-Nachfolge schuf er eine eigenständige Form des Konversationsstücks, in der die venezianische Gesellschaft mit feiner und kühler Ironie gesehen wird. 1756 wählte man ihn in die venezianische Akademie, an der er von 1758 bis 1780 lehrte. Zu Recht betont man die innere Verwandtschaft von Longhis Sittenbildern mit den Komödien Carlo Goldonis, mit dem Longhi in Kontakt stand. Neben dem Genre nimmt das Porträt einen bedeutenden Platz in Longhis Schaffen ein.

MAGNASCO Alessandro
(genannt: Il Lissandrino)
1677 Genua–1749 Genua
Magnasco trat in jungen Jahren in Mailand in das Atelier des venezianischen Malers F. Abbiati ein. Nach ersten Anfängen als Porträtist entdeckte er bald das Thema, dem er sein Leben lang treu bleiben sollte: die Landschaft mit kleinen bizarren Figurinen. 1703 kehrte er in seine Geburtsstadt zurück, bereiste die Emilia und fand in Florenz als Hofmaler Anstellung; von 1711 bis 1735 arbeitete er wieder in Florenz, kehrte aber dann endgültig in seine Vaterstadt zurück. In seinem Werk kreuzen sich verschiedenartige Einflüsse. Neben einer genuesischen Tradition finden sich entsprechend seiner Ausbildung lombardische Anklänge an Morazzo-

ne und Crespi. Doch auch die »macchia« – eine spontane, fleckenhafte Malweise und die Vorliebe für kleine, genrehafte Figuren – der Neapolitaner des 17. Jahrhunderts scheint auf seine Malweise Auswirkungen gehabt zu haben. Virtuos und in flackerndem, pastosem Auftrag monochromer Braunwerte sind jene Mönchsszenen gemalt, die Magnascos Lieblingsthema neben religiösen und mythologischen Stoffen sind und die eine starke Wahlverwandtschaft mit Jacques Callot erkennen lassen.

MAULBERTSCH Franz Anton
(auch: Maulpertsch)
1724 Langenargen (Bodensee)–1796 Wien
Nach einer Malerlehre ohne besondere Ereignisse wird die Wiener Akademie zum wichtigen Anreger des jungen Maulbertsch. Besonders die Freskokunst Paul Trogers wird von vorbildgebender Bedeutung für ihn. Unter ihrem Eindruck steht zum Beispiel die Ausstattung der Wiener Piaristenkirche, die er 1753 vollendete. Daneben machen sich aber auch venezianische Einflüsse (Piazzetta) bemerkbar, die er zu einem sehr spezifischen und persönlichen Stil verarbeitet. Das Helldunkel Trogers verwandelt sich bei Maulbertsch in eine von geheimnisvoll aufglimmenden Buntfarben durchsetzte, gleichsam dunsterfüllte Atmosphäre. Neben großen und vielfältigen Aufgaben der Wand- und Deckenmalerei widmete sich Maulbertsch der Ölskizze, die er als eigenständiges Kunstwerk zur Vollendung erhob. In der zweiten Lebenshälfte reagierte Maulbertsch auf die klassizistische Bewegung mit erstaunlicher Anpassungskraft, ohne die Charakteristika seiner Rokokoherkunft gänzlich zu verleugnen. Sein Deckenfresko in der Strahover Klosterbibliothek von 1794 kann man als Gegenstück von Mengs' Parnaß in der Villa Albani bezeichnen.

MELÉNDEZ Luis Eugenio
(auch: Menéndez)
1716 Neapel–1780 Madrid
Seine Ausbildung erhielt Meléndez zuerst bei seinem Vater, einem Miniaturmaler von Rang, der für den spanischen Hof arbeitete. Von der Bildniskunst des jungen Meléndez legt das Selbstbildnis von 1746 (Paris, Louvre) Zeugnis ab. Nach Aufenthalten in Rom und Neapel arbeitete er für den späteren spanischen König Karl III. Neben religiösen Werken schuf er vor allem hochgeschätzte Stilleben. Für die Vertäfelung eines Saales im Schloß von Aranjuez malte er eine Serie von 44 Stilleben, von denen sich noch 39 in verschiedenen europäischen und amerikanischen Museen erhalten haben. Meléndez führt die Tradition der spanischen Stillebenmalerei eines Sanchez Cotán oder Zurbarán fort, was sich sowohl in den Motiven wie in der Farbgebung erweist: tönernes Geschirr, schlichte Feldfrüchte und Obst, die hölzernen Küchengeräte in einfachen Kompositionen und einem Kolorit, das dem matten Schimmer verhaltener Glanzlichter den Vortritt läßt.

MENGS Anton Raphael
1728 Aussig (Böhmen)–1779 Rom
Schon durch die Taufe des Knaben auf die Vornamen Correggios und Raffaels steckte sein Vater, Miniaturmaler und Akademiedirektor in

Dresden, die Laufbahn seines Sohnes ab, den er, zwölfjährig, Raffaels Fresken in den Stanzen des Vatikans kopieren ließ. Mengs selbst trat zunächst in Dresden, wo er schon 1746 zum Hofmaler ernannt worden war, durch bravouröse Pastellporträts hervor. Wieder in Rom, konvertierte er zum Katholizismus und erhielt eine Professur an der Kapitolinischen Akademie. Entscheidend wurde dort aber seine Begegnung mit Johann Joachim Winckelmann, mit dem zusammen er die theoretischen Grundlagen des Klassizismus entwickelte. 1762 erschien seine Schrift »Gedanken über die Schönheit und den Geschmack in der Malerei«. Programmatisch ist auch sein 1761 entstandenes Deckenbild in der Villa Albani, in dem er mit den Prinzipien barocker Untersicht bricht und die Perspektive eines Staffeleibildes anwendet. Mit dem späteren König Karl III. kam er über Sizilien nach Madrid, wo er neben königlichen Aufträgen die Reorganisation der königlichen Akademie betreibt und zur einflußreichsten Autorität in Kunstfragen wird. Seine klassizistisch-eklektische Doktrin führte das Ende des Rokoko herbei, wie es in Madrid gleichzeitig von Tiepolo vertreten wurde.

NATTIER Jean-Marc d.J.
1685 Paris–1766 Paris
Der junge Nattier erhielt seinen ersten Unterricht zunächst von seinem Vater Jean-Marc d.Ä. und war danach vermutlich Schüler Jouvenets. Anschließend studierte er die Werke älterer Meister, zumal von Rubens, in der Galerie du Luxembourg. Bereits mit 15 Jahren bekam er einen Preis der Akademie für eine Zeichnung nach Rubens, die Ludwig XIV. derart gefiel, daß er sie stechen ließ. Ein russischer Gesandter schickte den jungen Maler nach Amsterdam, um die dort weilende Zarenfamilie zu porträtieren.

Nattiers persönliche Leistung ist die Übertragung des alten Typus des mythologischen Porträts in die Sprache des Rokoko (zum Beispiel »Mademoiselle de Lambesc als Minerva«, 1737, Paris, Louvre; »Madame Bouret als Diana«, 1745, Lugano-Castagnola, Sammlung Thyssen-Bornemisza). Mit diesen Bildnissen, die die Dargestellten nicht in antike mythologische Gestalten verwandeln wollen, sondern sie nur graziös mit den jeweiligen Attributen drapieren, hatte Nattier durchschlagenden Erfolg bei Hof. Seine Mätressenporträts verkörpern einen wesentlichen Aspekt der Malerei des Louis-quinze. Bezeichnend ist die Verwandlung des hochbarocken Kolorits in den perlmutterhaften duftigen Schmelz, der für die eigenhändigen Arbeiten Nattiers charakteristisch ist.

OUDRY Jean-Baptiste
1686 Paris–1755 Beauvais
Oudry war Schüler der Academie de St.-Luc, der sein Vater als Direktor vorstand. Ferner erhielt er Unterricht bei Michel Serre, durch den er mit dem neu erwachten Interesse an der niederländischen Malerei des 17. Jahrhunderts vertraut wurde. Bei Largillière konnte er diese Anregungen noch vertiefen. Entsprechend breit gefächert ist Oudrys thematisches Spektrum. Er ist Tier-, Stilleben- und Landschaftsmaler, er hat sich erfolgreich als Porträtist versucht und wurde 1719 in die Akademie als Hi-

storienmaler aufgenommen, da er sich einen Namen als Maler religiöser Bilder gemacht hatte.

Seit 1726 arbeitete Oudry für die Gobelinmanufaktur in Beauvais an einem königlichen Auftrag von Jagdbildern; er löste Duplessis im Amt des Malers der Manufaktur ab und wurde 1734 deren Direktor. Eine der berühmtesten Serien, die er entworfen hat, ist die Folge von acht Teppichen mit den königlichen Jagden Ludwigs XV. Neben den Jagd- und Tierkampfbildern widmete sich Oudry aber auch der reinen Landschaft, wobei er Anregungen Ruisdaels und Berchems verarbeitete. Als Kolorist von höchster Eleganz und erlesenem Raffinement begegnet Oudry uns in seinen Stilleben, zum Beispiel in jenem mit der weißen Ente (London, Privatbesitz), das ganz auf Variationen von Weiß- und Silbertönen aufgebaut ist.

PIAZZETTA Giovanni Battista
1683 Venedig–1754 Venedig
Eine erste Ausbildung erhielt Piazzetta bei Antonio Molinari, doch wurde Giuseppe Maria Crespi sein eigentlicher Lehrer. Ihm verdankt er seine breite, lockere Malweise, die erdige, warme Palette, in der Weiß mit Brauntönen kontrastiert, und ein Helldunkel, das nicht mehr, wie noch bei Liss und Loth, als Pathosform eingesetzt, sondern atmosphärisch verteilt ist. Aus der Bologneser Werkstatt Crespis kehrte Piazzetta 1711 nach Venedig zurück, wo seine Kunst in deutlichem Gegensatz zu der buntfarbigen und aufgehellten Malweise des dortigen Lokalstils stand, wie er etwa von Ricci, Pellegrini und Amigoni vertreten wurde. Erst in den zwanziger Jahren beginnt sich seine Palette aufzuhellen. Charakteristisch für Piazzettas Stil ist seine Übertragung des Genres auf Themen des Alten und Neuen Testaments, durch die er eine sinnliche, gleichsam taktile Nähe der Wahrnehmung suggeriert. Piazzetta zählt zu den bedeutendsten Vertretern der venezianischen Malerei des 18. Jahrhunderts.

REYNOLDS Joshua
1732 Plympton (Devon)–1792 London
Reynolds war der Sohn eines Reverends, der ihn mit 17 zu dem gefragten Porträtisten Thomas Hudson nach London in die Lehre schickte. Reynolds arbeitete einige Jahre in dem trockenen Stil seines Lehrers in Plymouth, London und Devonport. Die Begegnung mit William Gandy (Gandy of Exeter) regte ihn zu einer neuen Technik und einem flüssigeren Stil an, der wahrscheinlich auch durch das Studium Rembrandts inspiriert worden sein dürfte. In Begleitung des kunstliebenden Commodore und späteren Admirals Keppel reiste Reynolds über Lissabon und Algier nach Rom, wo ihn Raffael und Michelangelo in ihren Bann schlugen. Hier entstanden seine berühmten »Caricaturas«, Porträts von englischen Reisenden. Über Florenz, Parma, Venedig und Paris kehrte Reynolds zurück und ließ sich 1753 in London nieder, wo er das Bildnis seines Gönners Keppel malte, der nach einem Schiffbruch in der Pose des Apoll vom Belvedere dargestellt ist (Greenwich, National Maritime Museum).

Durch derartige bedeutungshaltige Zitate und dramatische Ereignisse wollte Reynolds die Bildnismalerei in den Rang der Historienmalerei erheben. Die theoretische Begrün-

dung dieser »grand manner« lieferte er später als erster Direktor der Royal Academy (seit 1768) in den »Discourses«, den jährlichen Vorträgen anläßlich der Preisverleihungen. Der Kontakt mit Gainsborough, der sich in den siebziger Jahren in London aufhielt, blieb, wohl wegen der Verschiedenheit der Temperamente, nur locker. Eine letzte Reise auf den Kontinent, die ihn unter anderem nach Antwerpen und Düsseldorf führte und dem Studium von Rubens gewidmet war, unternahm er im Jahre 1781. Reynolds, der 1769 geadelt wurde, gehört zu den großen Gestalten der englischen Malerei im 18. Jahrhundert, die eine ganze Malergeneration von Porträtisten geprägt hat.

ROBERT Hubert
1733 Paris–1808 Paris
Roberts Vater war Kammerdiener beim Marquis de Stainville, des späteren Duc de Choiseul, der sich des Knaben annahm und seinen Wunsch, Maler zu werden, verständnisvoll förderte. Robert begleitete den Marquis nach Rom, wo dieser ihn an die französische Akademie vermittelte. Unter dem Eindruck der Bilder Panninis und der Radierungen Piranesis wandte er sich der Ruinenmalerei zu. 1760 begleitete er den Abbé de Saint-Non zu den eben entdeckten Ruinen von Pompeji und Herculaneum.

In Roberts Ruinenmalerei verbindet sich die Exaktheit der topographisch getreuen Vedute mit dem phantastischen Element der Ruinenlandschaft, die es ihm ermöglichte, Ruinenvisionen völlig intakter Bauwerke zu malen. Nach elfjährigem Italienaufenthalt kehrt er 1765 nach Paris zurück und wird ein Jahr später in die Akademie aufgenommen. 1784 erhält er die Ernennung zum königlichen Gartenarchitekten und Verwalter der königlichen Bildersammlung. Er entwirft Pläne zur Umgestaltung des Versailler Schloßparks in einen englischen Garten. In der Französischen Revolution wird er in seinen Ämtern bestätigt, und zusammen mit Fragonard gehört er der Kommission an, die den Louvre zum Museum umgestalten soll. Zu seinen bekanntesten Werken zählen seine »Ereignisbilder« wie »Der Brand der Pariser Oper« und »Die Schleifung der Bastille« (beide Paris, Musée Carnevalet) oder »Abbruch der Häuser auf dem Pont du Change« (München, Alte Pinakothek).

ROMNEY George
1734 Dalton-in-Furness (Lancashire)–1802 Kendal (Westmorland)
Der Sohn eines Kunsttischlers arbeitete zunächst in der väterlichen Werkstatt, bevor er bei Christopher Steele, einem Wanderporträtisten und Schüler Carle van Loos, in die Lehre ging. 1762 machte er sich in London selbständig und erregte durch sein Gemälde »Tod des Generals Wolfe« Aufsehen. Reisen nach Frankreich und Italien zwischen 1764 und 1775 brachten ihm den französischen Klassizismus, die Antike und die Meister der römischen Hochrenaissance nahe. Nach London zurückgekehrt, ließ Romney sich als Porträtist nieder und entwickelte lebhaftes Interesse an literarischen Themen, die er hauptsächlich zeichnerisch bearbeitete. Bedeutsam wurde für ihn die Begegnung mit Emma Harte, der späteren Lady Hamilton, die ihm als Modell für viele

mythologische und literarische Vorwürfe diente. Um 1795 erkrankte Romney schwer und zog sich für seine letzten Lebensjahre nach Kendal zurück. Romney gilt neben Gainsborough und Reynolds als der bedeutendste englische Porträtmaler des 18. Jahrhunderts.

STUBBS George
1724 Liverpool–1806 London
Stubbs arbeitete als Illustrator wissenschaftlicher anatomischer Werke, bevor er sich hauptsächlich der Tiermalerei widmete. 1751 entstanden seine Illustrationen zu einem Werk über Geburtshilfe, 1756–1760 die Stiche zu »The Anatomy of the Horse«; eine weitere große Arbeit, »A Comparative Anatomical Exposition of the Structure of Human Body with that of a Tiger and a Common Fowl«, erschien erst 1817. In Marokko, wohin er nach einem Aufenthalt in Rom gereist war, hatte er ein Naturerlebnis, das seine künstlerische Thematik entscheidend beeinflußte. Er beobachtete einen Löwen, der ein Pferd anfiel. Diese dramatische Szene der Tierkampfgruppe kehrt wiederholt in seinem Werk wieder (»Ein Pferd schreckt vor einem Löwen zurück«, Liverpool, Walker Art Gallery).

Neben Ben Marshall ist Stubbs der bedeutendste Vertreter der für das Verhältnis der englischen Nation zum Tier so kennzeichnenden Gattung des Tierporträts. Stubbs experimentierte auch mit neuen Techniken. Er befaßte sich mit Emailmalerei auf Kupfer und, in Zusammenarbeit mit Josiah Wedgwood, mit Emailfarbenmalerei auf Porzellan. Stubbs widmete sich neben dem Tierporträt auch traditionellen Themen wie Darstellungen des englischen Landlebens, doch hat er als Tiermaler mit seinem präzisen, klaren, oft nüchternen und an den Erfordernissen der wissenschaftlichen Illustration geschulten Stil den nachhaltigsten Einfluß auf die europäische Tradition des Tierbildnisses ausgeübt.

TIEPOLO Giovanni Battista
(auch: Gian Battista Tiepolo)
1696 Venedig–1770 Madrid
Tiepolo wurde als Sohn eines Schiffsmaklers geboren. Seine Lehrer waren Lazzarini und die alten Meister, von denen er neben Tizian und Tintoretto vor allem Veronese studierte, dessen Stil ihn entscheidend prägte. 1719 heiratete er eine Schwester der Maler Guardi. Als ältester Sohn aus dieser Ehe ging Giovanni Domenico hervor, sein späterer Mitarbeiter und Nachfolger.

Tiepolos Frühwerke verraten noch Einflüsse Piazzettas, Bencovichs und Riccis. Ein früher Höhepunkt sind die Fresken im erzbischöflichen Palast in Udine (1725–1728), die den Stil der Reifezeit vorwegnehmen. Die schweren Hell-Dunkel-Massen des 17. Jahrhunderts weichen einer transparenten Durchlichtung der Palette. Die weißliche Helle der Freskenfarben bestimmt auch das Kolorit der umfangreichen Tafelbildproduktion. In den vierziger Jahren wird der Sohn zum wichtigsten Mitarbeiter der großen und zahlreichen Aufträge in Venedig, Mailand, Bergamo und Vicenza. Ihren Höhepunkt stellt der Ruf nach Würzburg zur Ausmalung der Decken des Treppenhauses und des Kaisersaales der fürsterzbischöflichen Residenz dar, wo die historische Verherrlichung des Bistums und eine allegorische Huldigung des Auftraggebers entfaltet werden. Eine weitere von Aufträgen in und außerhalb Venedigs überhäufte Periode von acht Jahren ging dem zweiten großen Ruf ins Ausland voraus. 1762 reisten Vater und Sohn, nicht zuletzt in diplomatischen Diensten, nach Spanien. Die Fresken im Madrider Schloß haben die Verherrlichung Spaniens und des Königshauses zum Thema. Tiepolo mußte dort noch die Entthronung seiner Kunst durch den Klassizismus im Geiste Johann Joachim Winckelmanns erleben, der in Mengs seinen einflußreichsten Verfechter besaß.

Tiepolos Sohn Giovanni Domenico war neben seiner Mitarbeit an den großen Aufträgen des Vaters ein eigenständiger und origineller Maler religiöser und profaner Themen. Er übertrug die phantastisch-pittoreske Phantasie seines Vaters ironisch und hintergründig auf die bizarre Welt der Commedia dell'arte, das Jahrmarkts- und Karnevalsgenre, wobei das kühle Kolorit zunehmend nüchterner wird. Wie sein Vater war auch Giovanni Domenico ein Meister der Handzeichnung und Druckgraphik.

TISCHBEIN Johann Heinrich Wilhelm
1751 Haina–1829 Eutin
Tischbein entstammte einer weitverzweigten Künstlerfamilie, in deren Kreis er auch seinen ersten Unterricht erhielt. Nachdem er zuerst von seinem Onkel Johann Heinrich Tischbein d. Ä. in Kassel unterrichtet worden war, setzte er seine Studien bei einem anderen Onkel, Johann Jakob Tischbein, in Hamburg und in Holland fort. Von 1777 bis 1779 arbeitete er als Porträtmaler in Bremen und Berlin. Dann ging er nach Italien, wo er sich 20 Jahre fast ununterbrochen aufhielt. Aus seiner Bekanntschaft mit Goethe entstand das berühmte Bildnis »Goethe in der Campagna« (Frankfurt am Main, Städelsches Kunstinstitut), das er 1787 in Rom vollendete. 1789 erhielt er die Ernennung zum Direktor der Accademia di Belle Arti in Neapel. Nachdem er sich 1801 in Hamburg niedergelassen hatte, erreichte ihn sieben Jahre später der Ruf des Herzogs von Oldenburg, als dessen Hofmaler in Eutin er bis zu seinem Tod arbeitete.

TROGER Paul
1698 Zell (Tirol)–1762 Wien
Trogers Anfänge sind unklar. Greifbar wird die Entwicklung seines Stils in den Stationen seiner Italienreise, die ihn nach Venedig, Rom und Neapel geführt hat, wobei ihn vor allem Pittoni und Solimena beeinflußt haben. Mit dem Kuppelfresko der Kajetanerkirche in Salzburg von 1727 schuf er ein erstes Hauptwerk. Während er als Freskant von den schweren Hell-Dunkel-Massen der Frühzeit über ein buntfarbig reiches, durch Rottmayr angeregtes Kolorit zu immer größerer Helligkeit im Spätwerk (Maria Dreieichen, 1752) gelangt, hat er als Tafelbildmaler stets ein irrationales, die sakralen Themen in mystische Verklärung tauchendes Helldunkel behalten. Er hat mit farbigen und kompositionellen Mitteln ergänzend und vollendend auf die Architektur des jeweiligen Raumes reagiert, für den seine Arbeiten bestimmt waren. Sein spontaner, oft skizzenhafter Vortrag wurde zur Inspirationsquelle so bedeutender Freskanten wie Bergl und Maulbertsch, Knoller und Zeiller.

VIGEE-LEBRUN Elisabeth
(Marie Louise Elisabeth Vigée-Lebrun)
1755 Paris–1842 Paris
Ihren ersten Unterricht erhielt sie von ihrem Vater, einem Pastellmaler, danach gelten Doyen, Vernet, Davesne und Briard als ihre Lehrer und künstlerische Ratgeber. Wesentliches verdankt sie auch dem Kopieren alter Meister, speziell der Niederländer. Als Porträtistin gelangte sie rasch zu Ruhm, wurde von Marie-Antoinette zur Hofmalerin erhoben, 1783 in die Akademie aufgenommen und mußte wegen ihrer Stellung bei Hof und Adel 1789 Frankreich verlassen. Sie bereiste Wien, Dresden, Berlin, London, Petersburg und die Schweiz und wurde mit akademischen Ehren und Aufträgen überhäuft. Vor allem ihre gefühlsbetonten, idealisierenden Frauen- und Kinderporträts, die ihr oft den Vorwurf sentimentaler Glätte eintragen, repräsentieren einen internationalen Bildnisstil der Übergangszeit; charaktervoller sind ihre zahlreichen Selbstbildnisse.

WATTEAU Jean-Antoine
1684 Valenciennes–1721 Nogent-sur-Marne
Als Sohn eines Handwerkers kam Antoine elfjährig zu einem Dekorationsmaler in die Lehre. Etwa fünf Jahre später ging er nach Paris und schloß sich den flämischen Malern in St.-Germain-des-Prés an. Die Zusammenarbeit mit Claude Gilot brachte ihn mit der Welt des Theaters und der eleganten Gesellschaft in Berührung. Im Auftrag des Kunsthändlers Sirois entstanden 1709/10, nach einem Zerwürfnis mit Gilot, Bilder aus dem Soldatenleben. 1712 erfolgte seine Aufnahme in die Akademie. Fünf Jahre später reichte Watteau seine »Einschiffung nach Kythera« ein und wurde daraufhin sofort zum Mitglied ernannt. Da das Bild keiner der üblichen Themengattungen zuzuordnen war, schuf man die neue Fachbezeichnung eines »Peintre des fêtes galantes«. Damit war das galante Genre, die völlig persönliche Schöpfung Watteaus, in die akademische Hierarchie eingeführt.

Die Poetisierung des Erotischen beherrscht nun fast ausschließlich sein Bilddenken. Das Theater, die Musik, die Konversation und der Mythos werden bei Watteau zu Traumreichen der Liebe. Die unerhört delikate Palette verrät das Studium der Flamen, zumal von Rubens. Watteau ist aber auch einer der größten Zeichner des 18. Jahrhunderts. Die Sammlung seines Mäzens Crozat bot ihm beste Studienmöglichkeiten der Graphik der Renaissancemeister. Neben den Anregungen, die Watteau aus der gebildeten Gesellschaft gewonnen haben mag, war es vor allem die Welt der italienischen Komödianten, die ihn anzog und nach der offiziellen Ausweisung 1716 wieder nach Paris zurückkehren ließ. In seinen letzten beiden Lebensjahren litt Watteau unter Tuberkuloseanfällen, die er in London behandeln ließ. Nach seiner Rückkehr von dort zog er sich nach Nogent-sur-Marne zurück, wo er noch nicht vierzigjährig starb.

WEST Benjamin
1738 Springfield (Penns.)–1820 London
West begann als Porträtmaler in Philadelphia und New York. Ein Auftraggeber konnte ihn für die Historienmalerei erwärmen, der »Tod des Sokrates« (Nazareth, Penns., Sammlung Stites) war sein erster Versuch in dieser Gattung. Gönner ermöglichten ihm als erstem amerikanischen Künstler eine Stipendienreise nach Rom, wo er in Kardinal Albani einen Förderer fand und mit Mengs Freundschaft schloß sowie mit Johann Joachim Winckelmann und den führenden Künstlern des damaligen Rom verkehrte. Florenz und Parma nahmen ihn als Akademiemitglied auf. Auf seiner beabsichtigten Heimreise machte West 1763 in London Station, wo er sich endgültig niederließ. Er erlebte hier eine glänzende Karriere, wurde Gründungsmitglied der 1768 gegründeten Royal Academy und 1772 zum königlichen Historienmaler ernannt. In London wurde West auch zum eigentlichen Begründer der amerikanischen Schule. Copley, Trumbull, Sully, Stuart und Pratt, der West im Kreise seiner amerikanischen Schüler dargestellt hat (New York, Metropolitan Museum of Art), wurden von ihm unterrichtet.

WILSON Richard
1714 Penegoes (Montgomeryshire)–1782 Colommendy (Wales)
Wilson begann als Schüler Thomas Wrights in London und spezialisierte sich wie dieser zunächst auf die Porträtmalerei. Die obligatorische Italienreise führte ihn von 1750 bis 1758 zunächst nach Venedig und dann nach Rom. Der Süden bestärkte seine Neigung zur Landschaftsmalerei, als deren für England zukunftsweisender Vertreter er gilt. Auf eine keineswegs eklektische Weise verstand er es, die Errungenschaften der kontinentalen Landschaftskompositionen eines Poussin, Lorrain und Vernet zu vereinen (zum Beispiel »Villa am See mit Pinien«, Boughton, Northamptonshire, Sammlung Duke of Buccleuch). Auch fehlen nicht Einflüsse der holländischen romanisierenden Landschaftsmalerei des späten 17. Jahrhunderts. Seine größte Leistung aber ist wohl das englische Landschaftsporträt, in dem er mit topographischer Sorgfalt, einer ausgeglichenen Verteilung der Hell-Dunkel-Massen und subtil abgestuften Farbreihen die Weite und Ruhe der englischen Seen und Gebirge erfaßt (»Blick von Llyn Nantlle auf den Snowdown«, Nottingham, Castle Museum).

WRIGHT Joseph
(Wright of Derby)
1734 Derby–1797 Derby
Wright lernte bei Thomas Hudson in London. 1771 wurde er Mitglied der Society of Art und 1784 in die Royal Academy aufgenommen. Eine Italienreise von 1773 bis 1775 verschaffte ihm Einblicke in die Malweise und -technik der alten Meister; vor allem Caravaggio und seine Nachfolger scheinen ihn fasziniert zu haben, wie die Behandlung des Lichts in Wrights späterer Malerei zeigt. Nach England zurückgekehrt, arbeitete er in Bath als Porträtist, entdeckte aber dann das »wissenschaftliche Gesellschaftsstück« als Aufgabe. In dem »Experiment mit dem Vogel« (1768, London, Tate Gallery) zeigt Wright eine Zuschauergesellschaft, die mit unterschiedlichen Anzeichen von Interesse und Anteilnahme dem wissenschaftlichen Nachweis der Atmung eines Vogels beiwohnt, der in einem gläsernen Vakuum erstickt. Mit raffinierten Beleuchtungseffekten

verstand es Wright, Pathosformen in die scheinbar sachliche Atmosphäre seiner Arbeits- und Gesellschaftsstücke einzubringen. Auch seine Landschaftsmalerei lebt in erster Linie von der differenzierten Behandlung des Lichts und der Beleuchtung.

ZICK Januarius
(auch: Johann Rasso Januarius Zickh)
1730 München–1797 Ehrenbreitstein
Zick erhielt seine Ausbildung von seinem Vater, dem Maler Johann Zick, der ein Vertreter der »Rembrandt-Mode« des Rokoko in der Staffeleimalerei war, als Freskant aber in der Tradition Asams und Bergmüllers stand. Januarius ging 1757 nach Rom, um bei Mengs seine Ausbildung zu vervollständigen. Dennoch blieb er der Bildsprache des süddeutschen Rokoko treu, wenngleich sich in seinem Werk durchaus deutliche Züge eines gemäßigten Klassizismus finden. Sein erster bedeutender Auftrag war die Ausstattung des Watteau-Zim-

mers in Schloß Bruchsal von 1759, sein Hauptwerk die Fresken der Klosterkirche von Wiblingen 1778–1780. Nicht nur als Freskant, sondern auch als Tafelbildmaler, Radierer und Architekt ist Zick eine herausragende Künstlergestalt in der kritischen Übergangzeit vom Rokoko zum Klassizismus.

ZIMMERMANN Johann Baptist
1680 Gaspoint (bei Wessobrunn)–1758 München
Zimmermann wuchs in dem künstlerischen und handwerklichen Milieu Wessobrunns auf, das für seine Stukkatorenschule berühmt ist. Seine Ausbildung als Maler erhielt er in Augsburg. Bis 1720 scheint Zimmermann nur als Stukkateur gearbeitet zu haben. Als Freskant hat er vor allem in Zusammenarbeit mit seinem Bruder Dominikus, dem Architekten, bedeutende Gesamtkunstwerke geschaffen (zum Beispiel Kirche Steinhausen 1730/31). Während in den übrigen europäischen Ländern die

Freskomalerei schon in der ersten Hälfte des 18. Jahrhunderts mit wenigen Ausnahmen im Niedergang begriffen ist und abstirbt, treibt sie in Süddeutschland kostbare Blüten. Der Generation Asams zugehörig, ist Zimmermann (zusammen mit seinem Bruder) der Hauptmeister des frühen bayerischen Rokoko. Wesentliches Merkmal seiner Deckenmalerei ist die Abkehr von illusionistischer Scheinarchitekturmalerei, die Einbringung terrestrischer Zonen an den Bildrändern, wodurch der geöffnete Himmelsraum Landschaftsausschnitten mit bukolischem oder idyllischem Charakter zugeordnet wird (Hofkirche St. Michael in Berg am Laim, München, 1739; Festsaal im Schloß Nymphenburg, München, 1757). Architektur, Ornament und Bild greifen an den Bildrändern ineinander. Höhepunkt seiner Kunst ist die Ausstattung der Wieskirche, des Spätwerks seines Bruders, in der Zimmermann die vollkommene farbige und luminöse Durchgestaltung des Raumes erreicht hat.